Dedicado a:

Por:

Fecha:

ASCENDIENDO

en oración y adoración y

DESCENDIENDO

en GUERRA

ASCENDIENDO
en oración y adoración y
DESCENDIENDO
en GUERRA

APÓSTOL G. MALDONADO

Nuestra Visión

Alimentar espiritualmente al pueblo de Dios
por medio de enseñanzas, libros y prédicas; y expandir
la palabra de Dios a todos los confines de la tierra.

"Yo te he llamado a traer
mi poder sobrenatural a esta generación"

Ascendiendo en oración y adoración y descendiendo en guerra

ISBN-10: 1-59272-306-3
ISBN-13: 978-1-59272-306-5

Edición octubre 2008

Portada diseñada por:
ERJ Publicaciones

Publicado por:
ERJ Publicaciones
13651 SW 143 Ct., Suite 101, Miami, FL 33186
Tel: (305) 233-3325 - Fax: (305) 675-5770

Categoría:
Oración

Impreso en EUA

DEDICATORIA

Este libro es, en gran parte, gracias al ejemplo y la dedicación diarios de una mujer que, a través de los años, ha ido creciendo como esposa, como líder, como pastora, pero sobre todo, como intercesora del reino de Dios… mi amada esposa, Ana. Muchas de las enseñanzas que explico aquí, Dios me las reveló por medio de su ejemplo de vida, y por eso, se lo dedico de manera especial.

AGRADECIMIENTO

Quiero tomar esta oportunidad para dejar plasmado en un libro, el profundo agradecimiento que siento hacia mi esposa, Ana, por las incontables horas de su vida que ha pasado orando e intercediendo por la mía. Su intercesión me ha cubierto de muchos ataques, tanto a mí como a mis hijos y a todo nuestro ministerio. Su galardón es grande en los Cielos y mi agradecimiento será eterno.

ÍNDICE

13. . . . . .INTRODUCCIÓN

15. . . . . .CAPÍTULO I
La revelación de la paternidad de Dios

37. . . . . CAPÍTULO II
Cruzando la línea de la oración a la intercesión

51. . . . . .CAPÍTULO III
Cruzando la línea de la intercesión a la guerra

67. . . . . CAPÍTULO IV
Ganando la batalla legal

81. . . . . .CAPÍTULO V
Cómo atar y desarmar al hombre fuerte

103. . . . . CAPÍTULO VI
Dios busca un hombre disponible

121. . . . . CAPÍTULO VII
Ascendiendo en adoración y descendiendo en guerra

143. . . . . CAPÍTULO VIII
Las dos facetas más importantes de la intercesión

165. . . . . CAPÍTULO IX
De niños a guerreros

181. . . . . BIBLIOGRAFÍA

INTRODUCCIÓN

A lo largo de los siglos, mucha gente ha visto y visitado la Iglesia como un hospital del alma, adonde ir a curar sus heridas y recibir consuelo, amor y ánimo. Pero Jesús no la fundó con este propósito. Para Él la Iglesia es un ejército, la fuerza militar espiritual del Reino, a la que encomendó predicar su mensaje y reclutar discípulos dispuestos a seguir sus pasos. Es verdad que cuando llegamos al Reino, venimos malheridos, golpeados por el mundo, y la Iglesia nos acoge, nos sana, nos limpia y nos restaura; pero eso es sólo una parte de sus funciones. Se puede decir que la Iglesia tiene un sector de hospital para recibir, sanar, liberar y restaurar a los que fueron oprimidos por el diablo; pero una vez recuperados, no deben permanecer allí, pues tienen que pasar a las otras dependencias de la casa de Dios. Por algo, Jesús le dio a la Iglesia, la autoridad que conquistó en la Cruz para sanar a los enfermos y deshacer las obras de Satanás, el enemigo de Dios.

Aquí es donde entra el tema de este libro. Una vez que el ser humano ha sido restaurado al reino de Dios, sus heridas han sido curadas, sus emociones sanadas y ya está de pie, se pasa a la etapa del entrenamiento, de la madurez. Comenzando por la relación con el Padre celestial que todo guerrero debe tener, este libro nos llevará a través de las distintas etapas o niveles de penetración en el mundo espiritual hasta llevarnos a la máxima, la guerra espiritual. En este entrenamiento, recorreremos sectores prácticos, pero también teóricos, como el conocimiento fundamental de la batalla legal, ignorada por muchos y causante de las grandes derrotas o fatalidades de la guerra. Esta obra termina con un capítulo impactante, absolutamente relacionado con el primero, pero con la riqueza de los restantes, donde vemos cómo un hijo llega a ser un guerrero. Pero no sólo eso, sino que llega a estar en la posición de levantar y entrenar a otros para multiplicar los éxitos en la guerra espiritual y esparcir el dominio del reino de Dios a todos los territorios usurpados por el enemigo. El hijo experimentado en la batalla, aquel que ha tomado ciudades y naciones para el Reino, tiene como tarea final, entrenar a otros en lo mismo, dándoles la paternidad que generará identidad y sentido de propósito y destino.

Las próximas generaciones serán victoriosas si la nuestra es capaz de generar padres espirituales, experimentados en la batalla, para transferirles su unción, su conocimiento, sus estrategias de guerra y su peso espiritual. Los hijos del mañana serán más poderosos, más avezados, más arriesgados, más decididos, si los padres de hoy conocen y cumplen su comisión.

¡Vamos adelante, hijos del Dios Todopoderoso! ¡Ascendamos en oración y adoración y descendamos en guerra, como saetas en manos del valiente...!

CAPÍTULO I

La revelación de la paternidad de Dios

La paternidad es el fundamento sobre el cual Dios ha escogido edificar toda la estructura de la sociedad; sin ella, la sociedad se desintegra y todo se convierte en caos. Es decir, la familia, la sociedad y todo lo que se desprende de ellas, no funcionarán debidamente hasta que la paternidad sea restaurada.

Dios promete la restauración de la paternidad

⁵He aquí, yo os envío el profeta Elías,
antes que venga el día de Jehová, grande y terrible.
⁶El hará volver el corazón de los padres hacia los hijos, y el
corazón de los hijos hacia los padres, no sea que yo venga
y hiera la tierra con maldición."
Malaquías 4.5, 6

En los Estados Unidos, los medios de comunicación seculares están llegando a la conclusión de que una nación sin padre es maldita. En revistas y periódicos, están escribiendo que la paternidad es el ingrediente que le hace falta a esta sociedad. Consideran que la ausencia de la misma es la causa principal del desastre al que se ha llegado.

Supe de un estudio que se realizó entre trescientos niños y niñas para identificar el grado de influencia que tiene la paternidad sobre el ser humano, y los resultados fueron sorprendentes. Los niños y niñas que crecieron al lado de su padre tuvieron siete veces mejor vida que los que crecieron sólo con su madre; fueron más exitosos, demostraron un gran sentido de identidad y de propósito, crecieron disciplinados, y tuvieron menos problemas con la policía. Los responsables de este estudio concluyeron que, incluso, era más importante tener un padre que una madre; aunque, por supuesto, lo ideal es tener a ambos.

En la Biblia, después de la profecía dicha por Malaquías, hubo un silencio de cuatrocientos años. Dios no habló más –su última palabra fue: "voy a restaurar la paternidad"–, hasta que vino Jesús y volvió a hablar de ella. Era necesario que el Hijo viniera a *mostrarnos* al Padre, y que después de que Él se fuera, el Espíritu Santo nos lo *revelara*. El Capítulo XI del libro de Lucas será la base fundamental del trabajo que usted tiene entre sus manos. Lo estudiaremos por secciones comenzando, en este capítulo, por la porción que va del versículo uno al cuatro. Veamos el verso uno:

> *"Aconteció que estaba Jesús orando en un lugar,
> y cuando terminó, uno de sus discípulos le dijo:
> Señor, enséñanos a orar, como también Juan
> enseñó a sus discípulos."*
> *Lucas 11.1*

En la mayor parte de las iglesias del mundo, la oración no es un movimiento popular; por lo general, las mujeres han sido las que siempre inician la oración y la intercesión en las congregaciones. Los ministerios de oración e intercesión siempre comienzan con un grupito de gente que, a medida que ora, provoca a otros a orar, y poco a poco, va creciendo.

En el libro de Lucas, vemos cómo fue la vida de oración de Jesús mientras estuvo en la Tierra. Los Evangelios cuentan ocho ocasiones en que se encuentra a Jesús orando, y éstos son los puntos destacables de su vida de oración: Por qué oraba, acerca de qué oraba, cómo oraba y qué sucedía cuando oraba. Jesús vivió como cualquier ser humano en este mundo. La única diferencia es que Él no tenía la naturaleza caída de Adán, y caminó en esta Tierra en total obediencia al Padre. La clave del éxito de Jesús era la oración; Él aprendió a orar como hijo y desarrolló una relación personal, directa y poderosa con el Padre. Eso lo habría de transmitir a sus discípulos contemporáneos y a los demás en los siglos venideros, hasta hoy.

En Lucas 11, los discípulos le piden a Jesús que les enseñe a orar. Pero antes de ver cómo orar del modo correcto, repasaremos cómo *no* orar, con base en el Evangelio según Mateo. Jesús les mostró la manera incorrecta, para luego enseñarles la correcta.

¿Cómo *no* se debe orar?

Hay varias maneras de orar y de presentarse a la oración, veamos cuáles no agradan a Dios o no representan una verdadera relación con el Padre celestial. Veamos qué *no* debemos hacer al orar:

1. No orar como los hipócritas

> *"⁵ Y cuando ores, no seas como los hipócritas; porque ellos aman el orar en pie en las sinagogas y en las esquinas de las calles..."*
> *Mateo 6.5*

La palabra **hipócrita**, en su origen griego, no tiene una connotación tan negativa como la tiene en el idioma español o en el inglés. Una persona hipócrita, en ese tiempo, era una que actuaba en una obra de teatro, es decir, representaba a otra persona temporalmente. El actor se ponía una máscara y representaba un papel; pero éste no era él y todos lo sabían. Cuando se bajaba del escenario y se quitaba la máscara, se mostraba tal como era, sin "hipocresía", es decir, sin actuar.

La mayoría de los creyentes hace esto: viene a la iglesia, canta, declara victoria... pero cuando sale de la iglesia, se quita la máscara de creyente y vive derrotado por el resto de la semana. Jesús dice que no oremos como los hipócritas, que cuando van delante de Dios le presentan una cara, pero al terminar de orar, vuelven a su verdadera actitud. Es muy fácil aprender el lenguaje del Reino, aun sin estar en el Reino ni moverse en él. Tenemos que ser reales, aceptar las cosas que están mal y dejar de hacerlas.

2. No orar para ser alabado por los hombres

"⁵...para ser vistos de los hombres; de cierto os digo que ya tienen su recompensa."
Mateo 6.5

Hay gente que se jacta de orar muchas horas ante Dios, tratando de impresionarlo a Él y a los demás; desarrollan un orgullo espiritual y se creen mejores que otros porque oran más tiempo. Lo que les debería interesar, en realidad, es lo que el Padre piensa de ellos.

3. No orar con vanas repeticiones

"⁷Y orando, no uséis vanas repeticiones, como los gentiles, que piensan que por su palabrería serán oídos."
Mateo 6.7

La diferencia entre hacer vanas repeticiones y perseverar en oración, como nos enseña Lucas en el Capítulo XVIII, es que la primera se repite una y otra vez, sin pensar, sin tener el corazón en lo que se pronuncia; en cambio, perseverar en la oración, es hablar con el Padre de lo que hay en el corazón y desarrollar una relación continua con Él. Hay personas que repiten palabras como "¡Gloria a Dios! ¡Aleluya! ¡Gloria a Dios! ¡Aleluya!" vanamente, porque su corazón no está en ellas. Se han convertido en un rito.

Las religiones del mundo basan sus rezos en vanas repeticiones. Nosotros debemos perseverar en la oración con la conciencia plena de que va dirigida a una persona, y ésta es Dios. Él no se persuade de nuestras oraciones sino de nuestra fe. En otras palabras, de nada vale repetir lo mismo todo el tiempo si no lo hacemos con fe. Cuando oramos con perseverancia, con fe y con el corazón puesto en ello, entonces Dios atiende nuestra oración.

Resumiendo, Jesús les enseñó a sus discípulos a no presentarse ante Dios como lo que no son, a no buscar el halago de los hombres por orar –pues esto no es un mérito sino una necesidad del hombre–, y a no hacer vanas repeticiones, ya que Dios no atiende rezos, sino palabras sinceras que nacen del corazón.

¿Cómo sí se debe orar, según Jesús?

"2 Y les dijo: Cuando oréis, decid: Padre nuestro que estás en los cielos, santificado sea tu nombre.
Venga tu reino. Hágase tu voluntad,
como en el cielo, así también en la tierra.
3 El pan nuestro de cada día, dánoslo hoy.
4 Y perdónanos nuestros pecados, porque también
nosotros perdonamos a todos los que nos deben.
Y no nos metas en tentación, mas líbranos del mal."
Lucas 11.2-4

Primero, Jesús les enseñó a sus discípulos cómo *no* orar. Ahora les enseña cómo *sí* orar. Esto es, como un hijo conversa con su padre. Pero antes de entrar de lleno en esto, vamos a entender el significado de la palabra **padre**.

¿Qué significa la palabra padre?

Como en todo, para entender la aplicación de una palabra, debemos conocer su origen y su significado en el contexto original. Para esto vamos a investigar dos palabras antiguas: la primera es *"Abba"*, palabra aramea cuyo sentido es de familiaridad, comunión e intimidad; es como cuando un niño habla por primera vez, la primera palabra que dice es *"Abba"*; es decir, ¡papito! Es una palabra de intimidad, de acceso, de aprobación, de valor, de afirmación.

Ilustración: Recuerdo que, cuando estuve en Israel, en el hotel, vi a un niño correr hacia su padre gritando: *"¡Abba, abba, abba, abba!"* O sea, el niño estaba diciéndole: *"¡Papito!"*. Esto ilustró claramente para mí, el significado de esta palabra y la relación de confianza y dependencia que implica.

La segunda es la palabra griega *"Patér"*, y se refiere más a una expresión de respeto, de honor, de reconocimiento hacia la cabeza de una casa, la autoridad principal de una familia.

El ser humano necesita las dos dimensiones. Necesita a *"Abba"*, la intimidad con Dios, su papito, pero también necesita a *"Patér"*, el respeto, la disciplina, reconocer quién es la cabeza de la casa. Una vez que entendemos las dos dimensiones de la paternidad de Dios, podemos entender por qué Jesús nos enseña que la oración debe ir dirigida al Padre: *"padre nuestro que estás en los cielos..."*. Esto nos lleva al siguiente punto. Hay ciertos puntos importantes para entender acerca de la paternidad de Dios, los cuales debemos recibir como revelación para poder orar al Padre como hijos.

¿Cuáles son los puntos importantes acerca de la paternidad de Dios que debemos entender?

Hay tres puntos principales que nos mostrarán el camino hacia una verdadera relación paternal con Dios:

1. **La revelación de la paternidad de Dios es dada por el Espíritu Santo.**

En el Capítulo XVI del Evangelio de Juan, Jesús, en su último discurso en el Aposento Alto –sabiendo que pronto dejará la Tierra para subir a los Cielos a gobernar junto al

Padre– les da a sus discípulos lo más importante que van a necesitar. Éste es un momento crucial para ellos.

> *⁷Pero yo os digo la verdad: Os conviene que yo me vaya; porque si no me fuera, el Consolador no vendría a vosotros; mas si me fuere, os lo enviaré."*
>
> Juan 16.7

Aquí presenciamos el inicio de algo mayor; el Espíritu Santo iba a venir a mostrarles "todas las cosas" a los discípulos. Lo que Jesús les decía era: "Yo no puedo enseñarles lo que quiero porque, de mente a mente no se puede, tiene que ser de espíritu a espíritu". En el versículo veintitrés, Jesucristo habla acerca de cómo el Espíritu Santo vendría a revelar al Padre, y en esto, hace una mención clave: "en aquel día".

> *²³En aquel día no me preguntaréis nada. De cierto, de cierto os digo, que todo cuanto pidiereis al Padre en mi nombre, os lo dará. ²⁴Hasta ahora nada habéis pedido en mi nombre; pedid, y recibiréis, para que vuestro gozo sea cumplido. ²⁵Estas cosas os he hablado en alegorías; la hora viene cuando ya no os hablaré por alegorías, sino que claramente os anunciaré acerca del Padre. ²⁶En aquel día pediréis en mi nombre; y no os digo que yo rogaré al Padre por vosotros..."*
>
> Juan 16.23-26

Jesús habla de "aquel día", no sólo como la fecha exacta en que el Espíritu Santo vendría, sino también, como "aquel día" cuando nosotros clamaríamos al Espíritu de Dios para que nos revele al Padre. Jesús menciona al Padre en estos cuatro capítulos de Juan (del 13 al 16) más de sesenta veces. Según Él, la revelación del Padre, traída por el Espíritu Santo, es lo más importante que debemos entender. Para mucha gente, el Padre es sólo un concepto teológico, no una realidad. La prioridad de Jesús era que sus discípulos tuvieran un encuentro con el Padre; pues cuando eso sucediera, todo cambiaría. Su identidad y su sentido de vida cambiarían cuando llegara "aquel día", el día en que el Espíritu Santo les revelara al Padre y ellos tuvieran un encuentro con Él.

2. El Espíritu de adopción es dado por el Espíritu Santo.

> *"⁴Pero cuando vino el cumplimiento del tiempo, Dios envió a su Hijo, nacido de mujer y nacido bajo la ley, ⁵para que redimiese a los que estaban bajo la ley, a fin de que recibiésemos la adopción de hijos."*
>
> *Gálatas 4.4, 5*

La Biblia llama al Espíritu Santo "Espíritu de adopción", y es quien nos revela que somos hijos de Dios, tal como lo es Jesucristo. Cuando esta revelación viene a nosotros, sabemos con total seguridad, que somos hijos del Padre celestial. En ese momento, entendemos que somos tan hijos de Dios por gracia, como lo es Jesús por naturaleza. Pero no se trata de un entendimiento mental, sino espiritual, de fondo, en lo más profundo y esencial de nuestro ser.

Entonces, le hago una pregunta: ¿Vive usted como un hijo de Dios? ¡Qué maravilloso es saber que tenemos el mismo acceso al Padre que tiene Jesús! ¡Qué maravilloso es saber que el Padre nos ama de la misma manera que ama a Jesús!

El Espíritu de adopción nos lleva a clamar "¡*Abba* Padre!". Clamar "¡*Abba* Padre!" no es un convencimiento teológico mental, sino un anhelo, una pasión que despierta en nuestro interior cuando el Espíritu Santo nos revela que Dios es nuestro Padre, que Él nos ama y que somos sus hijos.

Ilustración: En una ocasión, estuve diez días fuera de mi hogar, predicando en una de las iglesias de Paul Yonggi Cho, en Corea del Sur. Cuando regresé a mi casa, mi hijo menor estaba esperándome en la puerta. Tan pronto me vio, corrió con los brazos extendidos, gritando: "¡Papi, papi, papi!"... Era un grito, un clamor.

Ese mismo clamor viene a nosotros cuando recibimos el Espíritu de adopción; cuando el Espíritu Santo nos adopta, nos hace clamar a gran voz "¡*Abba* Padre!".¿Tiene usted este clamor en su corazón? ¿Ha llegado a su vida "aquel día"?

> "*¹⁵Pues no habéis recibido el espíritu de esclavitud para estar otra vez en temor, sino que habéis recibido el espíritu de adopción, por el cual clamamos: ¡Abba, Padre! ¹⁶El Espíritu mismo da testimonio a nuestro espíritu, de que somos hijos de Dios. ¹⁷Y si hijos, también herederos; herederos de Dios y coherederos con Cristo...*"
>
> *Romanos 8.15-17*

La mayor parte de los creyentes conoce a Jesús como el Salvador y al Espíritu Santo como el Consolador que manifiesta su poder, pero no conoce al Padre. Cuando realmente se conoce al Padre, se completa la experiencia del hombre con la trinidad de Dios. Esto es más que un conocimiento mental, teológico.

¿Cómo sabe uno que tiene un conocimiento mental teológico del Padre?

Este conocimiento se reconoce porque la persona todavía tiene en su corazón miedo, falta de identidad, inseguridad, y el éxito de otro significa una amenaza para él.

Recapitulando, entonces, los puntos importantes acerca de la paternidad de Dios son: 1) El Espíritu Santo es quien nos revela la paternidad de Dios y 2) El Espíritu Santo nos trae el Espíritu de adopción para que podamos clamar

"¡*Abba* Padre!". El tercer punto, considero yo, es la llave para tener una vida de oración poderosa y efectiva.

3. **La revelación de la paternidad de Dios es la llave de una vida de oración poderosa y efectiva.**

> *"²⁴Hasta ahora nada habéis pedido en mi nombre; pedid, y recibiréis, para que vuestro gozo sea cumplido."*
> Juan 16.24

Si tomamos la vida de Jesús como ejemplo, observamos que su oración y su relación con el Padre fueron poderosas. Éste era el motor, la fuerza impulsora de los milagros y de las sanidades que Él realizaba; era la fuente de poder para que sus discípulos se movieran en esa misma autoridad; era la fuerza generadora que operaba detrás de las sanidades, los milagros, los prodigios y las maravillas. Su vida de oración era tan poderosa que el Padre *siempre* lo escuchaba.

> *"⁴²Yo sabía que siempre me oyes; pero lo dije por causa de la multitud que está alrededor, para que crean que tú me has enviado."*
> Juan 11.42

¿Cuáles son las formas de presentarse en oración al Padre celestial?

Uno puede presentarse ante el Padre a orar como un mendigo, como un peticionario, como un esclavo o como un hijo. Usted, ¿de qué manera ora? ¿Cómo se dirige a Dios?

Ilustración: Cuando llego a los países de Latinoamérica, encuentro muchos niños mendigando, y les doy dinero, ropa o algo, porque siento compasión de ellos, aunque no sea mi obligación. Pero cuando llego a casa y mi hijo me dice: "Papi, me falta un cuaderno para una clase", o "Necesito un uniforme para ir a la escuela", se lo doy, no porque quiero o porque le tenga compasión, sino porque yo soy su proveedor.

A mis hijos, les proveo todo lo que necesitan porque es mi obligación y deber de padre.

Un mendigo no tiene "derecho" a la bendición, tampoco un peticionario que no tiene relación alguna, no es de la familia, y mucho menos un esclavo que está para servir al amo. Pero un hijo, un hijo sí tiene derecho y acceso a todo lo que el Padre posee. Entonces, el punto es que cuando usted se relaciona con Dios como hijo, tiene acceso a todas sus posesiones. Cuando usted sabe que es hijo y se dirige al Padre como tal, para Él es una responsabilidad darle todo lo que necesite.

Otro ejemplo del tema es la parábola del hijo pródigo. Este hijo se fue de su casa, malgastó toda la herencia que su padre le había dado y después regresó, esperando que éste lo dejara al menos ser un siervo en la casa. Sin embargo, el padre le hizo una gran fiesta de bienvenida y lo agasajó. Desafortunadamente, el hijo mayor se puso celoso, le reclamó al padre que nunca le diera ni siquiera un cabrito para compartir con sus amigos, considerando todo el tiempo que le había servido sin fallarle. La respuesta del padre es muy reveladora:

> *"31 Él entonces le dijo: Hijo, tú siempre estás conmigo, y todas mis cosas son tuyas."*
>
> *Lucas 15.31*

El padre le da la respuesta que muchos hoy también necesitan oír. La razón por la que no tienen lo que quieren es que no piden, ni toman lo que por derecho de hijos les pertenece.

Cuando nos relacionamos con Dios o cuando entendemos la revelación de que es nuestro padre, que somos sus hijos y que nos ama, podemos ir a Él sabiendo que todo lo que tiene es nuestro. Si le pedimos, Él nos da y si tomamos, no robamos, porque lo que hay en su casa es nuestro. Entonces, cuando usted tiene un encuentro con la revelación de la paternidad de Dios, cambia su manera de ver las Escrituras, cambia su manera de orar, cambia su manera de hablar y su manera de conducirse en la vida. Ya no anda como un peticionario, un mendigo o un esclavo, sino como un hijo, con el pleno conocimiento de su derecho a las posesiones del Padre, y al acceso directo a su presencia.

¿Cuáles son los beneficios de ser hijos?

Si volvemos al pasaje del Capítulo XI del Evangelio de Lucas, lo que Jesús nos está diciendo es: "Ustedes van a orar al Padre como hijos. Aprendan a recibir, primero, la revelación de que Él es su padre, ustedes son sus hijos y Él los ama como me ama a mí, y que como hijos, tenemos acceso a ciertos beneficios".

1. Los hijos tienen herencia

Todo lo que el Padre tiene es nuestro, lo que significa que podemos pedirlo cuando queramos. Los hijos tienen una herencia material y espiritual que está a su disposición por medio de Jesús.

2. Los hijos tienen derechos

Los hijos que comparten una relación con el Padre, tienen derecho a ser oídos por Él, y a que les conteste. Hay muchas cosas a las cuales los hijos de Dios tienen derecho, como: la salud, la liberación, la paz, la justicia, el gozo y la prosperidad divina provistos por medio de Jesucristo. Y como decía en la ilustración anterior, a los mendigos les doy por compasión, pero a mis hijos, Brian y Ronald, les doy porque es mi obligación y mi responsabilidad suplirles todo lo que necesiten. Si esto lo trasladamos al ámbito espiritual, el Padre celestial también tiene la obligación y la responsabilidad de darnos todo lo que necesitamos.

Ilustración: En una oportunidad, estaba enseñando en Centroamérica acerca de los derechos de los hijos, entre los cuales se encuentra la sanidad física. Cuando la gente que escuchaba entendió esto, la fe creció en sus corazones; entendieron el poder de esta Palabra. Se adueñaron del derecho a ser sanos por lo que Cristo hizo en la Cruz y muchos hombres comenzaron a sanarse de problemas de espalda, hernias, tumores y diversas enfermedades. Lo mismo sucedió con varias mujeres, se sanaron de quistes, tumores y diferentes afecciones físicas. Esto es lo que sucede en las personas cuando conocen sus derechos como hijas de Dios.

3. **Los hijos tienen una relación con el Padre**

Cuando usted conoce al Padre, conoce su amor, y una vez que entiende este amor, responde a Él en obediencia. La única forma de probar nuestro amor a Dios es la obediencia. En esta relación, el Padre nos enseñará a ser hijos, así como Jesús. Usted dejará de orar como mendigo, peticionario o esclavo y comenzará a orar como verdadero hijo.

4. **Los hijos tienen privilegios**

Los hijos tenemos ciertos privilegios, como el hecho de ser usados en el poder y la unción de Dios, y participar de su naturaleza divina, entre otros.

Los hijos, también, tienen la responsabilidad de obedecer y honrar al Padre

Hoy día, muchos hijos se quejan de que sus padres no los cuidan, o no son como debieran, pero ellos tampoco cumplen con sus responsabilidades. Lo mismo sucede con el Padre celestial, no se pueden tener privilegios sin cumplir con la responsabilidad de la obediencia y la honra hacia Él. Usted no puede reclamar derechos, ni relación, si primero no acepta la responsabilidad de obedecer y honrar al Padre. De la misma forma que el Padre tiene la obligación de proveer y darles todo a sus hijos, así los hijos tenemos responsabilidades que cumplir con el Padre.

Volviendo una vez más a la última ilustración, diré que si yo le doy algo a un mendigo en Latinoamérica, o en cualquier país, por compasión, eso no significa que le puedo demandar algo. Él no tiene ninguna responsabilidad de obedecerme o de hacer algo que yo le pida porque no existe una relación entre ambos. En cambio, con mis hijos, así como yo tengo la responsabilidad de proveerles todo lo que necesitan y todo lo que yo poseo les pertenece, ellos también, tienen una responsabilidad de obediencia y honra hacia mí. Si yo les pido o les ordeno algo, ellos tienen el deber de realizarlo. Cuando cumplimos con nuestra responsabilidad de obedecer a Dios, Él completa nuestro corazón y nos da todo lo que nos hace falta.

Conteste las siguientes preguntas: Usted, ¿conoce al Padre como Jesús lo conocía? ¿Tiene revelación de la paternidad de Dios? ¿Sabe que el Padre le ama como ama a Jesús? ¿Ha tenido la experiencia de ver llegar "aquel día"? ¿Ha recibido al Espíritu de adopción? Cuando usted entra en una relación cercana con el Padre celestial, su seguridad está en su relación con Él, y ya no en la posición o trabajo que usted hace para Él.

En el tiempo en que vivimos, hay mucha inseguridad, competencia, celos y envidia en el cuerpo de Cristo porque la gente no tiene la revelación de la paternidad de Dios. El Reino funciona bajo su paternidad, de modo que, sin esta revelación, no puede haber un genuino entendimiento del mismo. Si usted nunca ha tenido una revelación, ore al Espíritu Santo para que se la dé.

En las cartas de Pablo a los Gálatas y a los Romanos, uno de los nombres que figura para el Espíritu Santo es "Espíritu de adopción", por el cual clamamos "¡*Abba* Padre". El Espíritu Santo clama: "Tú eres mi hijo amado". Y usted responde por el mismo espíritu: "¡Papi, "*Abba*'!". Jesús fue el primero en orar como hijo, Él vino a demostrar cómo ora un hijo. Esto enojó tanto a los religiosos de su tiempo que lo llegaron a llamar "blasfemo". No podían entender, ni podían ver, porque no recibían la revelación del Padre.

Amigo lector, si usted nunca ha recibido esta revelación, repita ahora en voz alta: "Espíritu Santo de Dios, te pido que me reveles al Padre. Ayúdame para que pueda clamar ahora mismo, con todo mi corazón: "¡*Abba!*" o ¡Papi!". Ven sobre mí en este instante. Declaro que por la fe, mis ojos espirituales son abiertos, que recibo la revelación de que Él es mi Padre celestial, que yo soy su hijo y que Él me ama; y clamo en voz alta: "¡*Abba!* ¡*Abba!* ¡Papi! ¡Papi! ¡Papi!".

Si esto ha sucedido y la presencia de Dios ha caído sobre usted, no se asuste ni tenga miedo de lo que pueda sentir en las próximas horas o días, pues el amor del Padre le envolverá de tal manera, que el efecto será duradero y transformador. Eso que sentirá será el sobrecogedor amor del Padre, llenando todo su ser. Sucede lo mismo cada vez que enseño acerca de la paternidad de Dios, empezando por mí mismo. Es una experiencia sin igual.

Retomando las conclusiones del inicio, podemos decir que no es suficiente hacer oraciones públicas. La oración unida con otro no tendrá poder si, primero, no hay una vida de oración personal que genere una relación poderosa con el Padre. El poder de todo lo que usted haga, será otorgado en el tiempo que pase a solas con Dios Padre todos los días. Para esto necesita un lugar secreto donde vaya, cierre la puerta y pase un tiempo a solas con Dios para conocerlo como Padre. Éste es el fundamento del poder y de la vida del Reino.

"⁶Mas tú, cuando ores, entra en tu aposento, y cerrada la puerta, ora a tu Padre

que está en secreto;
y tu Padre que ve en lo secreto
te recompensará en público."
Mateo 6.6

Hay otra traducción que dice: *"...y tu padre que ya está esperando en lo secreto, te recompensará en público".*

La vida personal de oración fue la fuerza impulsora en la vida de Jesús. Usted no puede vivir en victoria de otra forma. No es que las reuniones de oración con otros no cuenten, pero usted puede hacer vigilia toda la noche, que si no tiene una vida personal de oración, algo estará fuera de orden y eso le impedirá experimentar el poder de Dios.

Vaya a su aposento, vaya a su *closet*, vaya a su cuarto, a su lugar de oración, un lugar físico. Lo más importante es que allí usted pueda estar a solas con Dios. Aun si su esposa o esposo es un gran compañero de oración, usted necesita ese tiempo en privado con el Padre; éste es un fundamento absoluto. Orar y tener una relación personal con el Padre es como respirar; si no lo hace, su cuerpo se muere. Lo mismo sucede en el espíritu; si no ora, su espíritu se seca, se muere separado de su fuente de vida.

Dios, el Padre, me ha dado un mandato. Dondequiera que vaya, debo enseñar y ministrar su paternidad y llevar al pueblo a tomar el compromiso de orar una hora diaria. Luego de hacer esto, he visto testimonios poderosos en cada persona que ha tomado el desafío. Transforme su cuarto, sala, automóvil o baño, en su aposento o lugar secreto. Lo más importante es que usted tenga un lugar donde pueda estar a solas con el Padre.

Repita conmigo y diga: "Padre celestial, hoy tomo una decisión y me comprometo a orar una hora, *todos los días,* a partir de este momento. Te pido que me des tu gracia para hacerlo y lograrlo. En el nombre de Jesús, amén".

Entonces, podemos concluir que para ascender en oración, debemos conocer al Padre en intimidad, así como nuestros beneficios y nuestras responsabilidades como hijos. Entonces, podremos descender en guerra.

Ascendiendo en intimidad y oración con el Padre como hijos

La mayor parte de los hombres de Dios, que llegaron a ser guerreros y a tomar ciudades y naciones, han tenido la revelación de la paternidad de Dios y la revelación de ser sus hijos. Así podemos ver el caso del apóstol Juan, quien habla más de 145 veces del Padre en su Evangelio. Y en el caso de Pablo –quien no se entregó a Jesús cuando éste vivía en su humanidad–, habla más de ciento veinte veces del Padre; pues, al igual que todos, recibió esta revelación del Espíritu Santo enviado por Jesús. Juan y Pablo fueron quienes tomaron la ciudad de Éfeso para el Reino.

> *"32 Con lisonjas seducirá a los violadores del pacto;*
> *mas el pueblo que conoce a su Dios*
> *se esforzará y actuará."*
> Daniel 11.32

La palabra **conocer** es la traducción del hebreo *"yadá"*, y significa tener una relación íntima. Es la misma que Dios usó para dar a entender que Adán tuvo intimidad sexual con Eva. Quien tiene una relación íntima con el Padre en oración, naturalmente se esforzará y actuará porque la osadía de Dios se le pegará y tendrá su misma pasión y propósito. En otras traducciones, dice: "los que conocen a su Dios, harán proezas, actos atrevidos y poderosos". Esto nos da a entender que la falta de acción en una persona es señal de una falta de comunión con el Padre. La comunión con el Padre nos lleva a orar y a actuar como lo que somos, hijos de Dios, poderosos en su fuerza y efectivos en su sabiduría. En esa comunión, el Padre nos imparte todo lo que es y todo lo que posee; y uno de sus atributos o virtudes es ser un guerrero. El Padre es un guerrero, Jesús es un guerrero y el Espíritu Santo también lo es; por lo tanto, si tenemos su ADN, seremos guerreros.

"²⁶Entonces dijo Dios: Hagamos al hombre a nuestra imagen, conforme a nuestra semejanza; y señoree en los peces del mar, en las aves de los cielos, en las bestias, en toda la tierra, y en todo animal que se arrastra sobre la tierra."

Génesis 1.26

Aquí Dios le dio al hombre la autoridad para reinar, gobernar y señorear. Cuando un rey ve su territorio atacado o invadido por un enemigo, él mismo es quien dirige a su ejército a la guerra. Los presidentes de los países democráticos son, además, Comandantes en Jefe de los ejércitos nacionales. Si nosotros fuimos creados para reinar sobre esta Tierra y gobernarla, también fuimos hechos con el potencial de ir a la guerra para defenderla. Si nos acercamos al Padre en la intimidad, la identidad que recibimos por el Espíritu de adopción, despierta en nosotros ese guerrero; así nos convertimos en guerreros del reino de Dios.

Otro ejemplo de esto lo vemos en Jesucristo. Cuando fue bautizado, Él operó en su humanidad, no en su deidad, pues para ser el Salvador del mundo, primero tenía que caminar en la Tierra como un ser humano. Jesús se sujetó a las leyes divinas y caminó aquí por treinta y tres años y medio en total obediencia, por medio de lo cual obtuvo lo que llamamos una "autoridad ganada". Jesús, en su humanidad, ganó su autoridad por la obediencia; siendo hombre llegó a ser como su padre, alcanzó la edad de la madurez y recibió su herencia.

"²¹Aconteció que cuando todo el pueblo se bautizaba, también Jesús fue bautizado; y orando, el cielo se abrió, ²²y descendió el Espíritu Santo sobre él en forma corporal,

como paloma, y vino una voz del cielo que decía: Tú eres
mi Hijo amado; en ti tengo complacencia."
Lucas 3.21, 22

Es interesante ver que, justo después de que Jesús es bautizado, que recibe al Espíritu Santo y que el Padre lo confirma como hijo –la trinidad de Dios se manifiesta sobre su vida–, el diablo llama a una audiencia legal para probar su identidad. Y Dios permitió que su hijo fuera a la Corte porque Él es el Juez justo.

"Jesús, lleno del Espíritu Santo, volvió del Jordán,
y fue llevado por el Espíritu al desierto."
Lucas 4.1

Aquí era importante, era necesario que el diablo probara a Jesucristo como hijo humano. La tentación vino y era: "Si eres hijo de Dios en tu humanidad...". Jesús estaba siendo probado en su identidad como hijo humano de Dios que vive en obediencia al Padre. Si el diablo desafió a Jesús, ¿qué le hace pensar que no lo va a desafiar a usted también para robarle su identidad como hijo? Usted será tentado a traicionar, a herirse, a ofenderse, a desanimarse, y a mucho más. Todos tenemos que ganar una batalla en el desierto para establecer nuestra identidad como hijos; cosa que no podremos lograr si no recibimos la revelación de nuestro Padre celestial.

Entonces, estamos aprendiendo que la respuesta de Dios, en contra de los poderes demoníacos, es encontrar un canal humano del cual el Espíritu Santo se pueda vestir, es decir, se pueda meter en su cuerpo para hacer la voluntad del Padre y convertirse en el dedo de Dios.

La conclusión de todo esto es que el diablo probará nuestra identidad como hijos, y sólo pasaremos y ganaremos la batalla del desierto si subimos en oración, en una relación personal en la que reconozcamos a Dios como Padre. Allí el Espíritu Santo nos revelará al Padre y nuestra condición de hijos por medio del Espíritu de adopción, por el cual clamaremos: "¡*Abba* Padre!". Somos hijos de Dios por gracia, tanto como Jesús lo es por naturaleza. La intimidad con el Padre nos revela nuestra verdadera identidad y nos convierte en guerreros poderosos y ungidos para descender y derrotar a Satanás como Jesús lo hizo en el desierto. Ascendemos en oración y descendemos en guerra para establecer el reino de Dios en la Tierra.

CAPÍTULO II

Cruzando la línea de la oración a la intercesión

E n el Capítulo I, vimos la introducción de la primera fase de la oración efectiva, cuyo fundamento es conocer la paternidad de Dios y tener la certeza de que Él nos oye y suple nuestras necesidades. Dicha relación nos llevará, poco a poco, al conocimiento del propósito por el cual fuimos creados y del poder que encierran nuestras oraciones. En esta segunda sección, la palabra de Dios nos presenta una línea muy clara, la cual implica un desafío a la madurez; en otras palabras, requiere que nos desenfoquemos de nuestra persona para comenzar a ver las carencias a nuestro alrededor. Cuando Dios ha satisfecho nuestras necesidades espirituales y emocionales básicas, es hora de cruzar la línea que separa la oración personal de la intercesión ante el Padre por las necesidades de otros. Éste es el primer paso hacia la guerra espiritual, para la cual todavía queda un largo recorrido. Analicemos la siguiente porción de Lucas 11:

> *"⁵Les dijo también: ¿Quién de vosotros que tenga un amigo, va a él a medianoche y le dice: Amigo, préstame tres panes, ⁶porque un amigo mío ha venido a mí de viaje, y no tengo qué ponerle delante; ⁷y aquél, respondiendo desde adentro, le dice: No me molestes; la puerta ya está cerrada, y mis niños están conmigo en cama; no puedo levantarme, y dártelos? ⁸Os digo, que aunque no se levante a dárselos por ser su amigo, sin embargo por su importunidad se levantará y le dará todo lo que necesite."*
> Lucas 11.5-8

¿Qué es la intercesión? La intercesión es pararse delante de Dios a favor de los hombres; es orar por otros; es ponerse en la brecha para pedir al Padre, en nombre de otros, para que Él supla sus necesidades.

Cuando Jesús enseña estos pasajes, nos invita a cruzar la línea de la oración por nosotros a la intercesión por otros. Y comienza con una pregunta en el versículo 5: *"Les dijo también: ¿quién de vosotros...?"*, la cual nos da a entender que tenemos la opción de escoger hacerlo o no. Sin embargo, nótese que el primer nivel lo puso como una obligación, pues dijo: *"cuando oréis, decid: Padre nuestro..."*, no preguntó: *"¿quién de vosotros...?"*. Esto nos lleva a entender por qué, a medida que vamos accediendo a niveles mayores de oración, de intercesión y de guerra, va siendo menos la gente que se envuelve y le dice "sí" a Dios.

Jesús te dice: ¿Estás dispuesto a ir a la presencia de Dios a pedir por otros? ¿Estás dispuesto a dejar a un lado lo que necesitas para ti y ocuparte de la carencia ajena? La mayor parte de los creyentes nunca va más allá del primer nivel, porque no encuentra ningún provecho personal que sacar de los siguientes. Aunque parezca paradójico, esto indica que tampoco ha completado el primer nivel, es decir, no tiene una relación íntima con el Padre celestial. Está llena de egoísmo y sólo se preocupa por pedirle a Dios que supla su necesidad, olvidándose de los demás.

En estos versos, Jesucristo nos menciona a ciertos personajes. Primeramente, se refiere a un Amigo: *"¿Quién de vosotros que tenga un amigo...?"* ¿Quién es este amigo? Este amigo representa a Dios. Además, Jesús menciona tres panes. Los panes simbolizan la plenitud de la deidad o la trinidad; representan al Padre, al Hijo y al Espíritu Santo. Esto se debe a que hay cosas que sólo el Padre puede suplir, dádivas que sólo el Hijo puede dar, y dones que sólo el Espíritu Santo posee y puede brindar. Por tanto, según sea su necesidad, será la persona de Dios a quien le deba pedir. Hay gente que carece de la revelación de la paternidad, entonces tiene que ir a Dios Padre; otros necesitan salvación, la cual deben pedir a Jesús, Dios Hijo; y los que necesitan poder, deben ir al Espíritu Santo. Así vemos las diferentes maneras en que el Dios trino suple las necesidades de su pueblo. El pan, también, representa o simboliza a Jesús como el verdadero pan del Cielo, en el cual está la vida que suple la carencia de todo ser humano.

El otro personaje que Jesús menciona aquí es un amigo en necesidad, para el cual vamos a pedir pan a casa de nuestro Amigo. La intercesión se trata de ir a Dios a buscar pan para un amigo.

En la iglesia de Cristo, opera un espíritu de egoísmo que no nos permite orar por otros. Todos los días, vamos al Padre con una "lista de compras" sólo a tratar de satisfacer nuestros deseos personales. Y eso no tiene nada de malo, siempre y cuando no nos olvidemos de orar por los demás.

Jesús, también, llamó a la liberación "el pan de los hijos".

> *"26 Respondiendo él, dijo:*
> *No está bien tomar el pan de los hijos,*
> *y echarlo a los perrillos."*
> *Mateo 15.26*

Este pasaje corresponde al relato de la ocasión en que una mujer cananea se acercó a Jesús en busca de la liberación de su hija, quien era atormentada por un demonio. Jesús le dijo que no era bueno tomar "el pan de los hijos" y echarlo a los perrillos. A través de esta respuesta, vemos cómo la liberación tiene que ver con soltar a las personas de opresiones satánicas. Podemos ir al Padre a buscar pan para ellas, a buscar su liberación.

¿Qué encontramos en este segundo nivel de oración?

En este segundo nivel, la oración se da en una atmósfera de petición amigable, no es de guerra, no hay violencia, contraataque ni represalias. Y se denomina intercesión porque la oración es por otro, en lugar de otra persona. Aquí Jesús nos enseña a orar por un amigo, a nuestro Amigo Dios.

En el nivel de la intercesión, usted también encontrará que no obtiene resultados inmediatos; por lo general, hay una demora en la respuesta. En estos versos, Jesús da la figura del Amigo Dios, a quien "no" le importa lo que su amigo le está pidiendo, ya que está en cama durmiendo; no le interesa su necesidad. Si bien Dios parece ser así, por supuesto, no lo es. Si le pasa que usted ora y ora, y nada sucede, puede ser que Dios esté reteniendo, deliberadamente, la respuesta a su petición. Aunque, también, puede ser una intervención satánica que está deteniendo la respuesta que Dios ya otorgó. Pero este capítulo se trata de cuando no es el enemigo, sino Dios mismo quien escoge no contestar su oración por una gran razón.

¿Cuál es la razón por la cual Dios no nos da su respuesta de inmediato?

Dios usa este nivel para adiestrarnos en la perseverancia con el fin de prepararnos para lo que nos espera más adelante, y lo hace en la atmósfera amigable de la intercesión: un amigo pidiendo a su Amigo en casa. Antes de que nos toque ir a la guerra y el diablo nos coma vivos, Dios desea enseñarnos, entrenarnos, prepararnos en la perseverancia, por lo cual tenemos que orar una y otra vez por la misma necesidad. Esto no se trata de vanas repeticiones sino de desarrollar perseverancia.

"...y aquél, respondiendo desde adentro, le dice:
No me molestes; la puerta ya está cerrada,
y mis niños están conmigo en cama; no puedo
levantarme, y dártelos?"
Lucas 11.7

Este verso menciona algo importante: la puerta ya está cerrada y es demasiado tarde. Mucha gente dice: "Es demasiado tarde, mis hijos ya no regresarán a casa". "Es demasiado tarde, el asunto está cerrado, mi matrimonio no se va a restaurar." "Ya es demasiado tarde para curar mi cuerpo." "Ya es demasiado tarde para cumplir el propósito de Dios conmigo." Y así, sucesivamente, las personas se dicen a sí mismas que Dios ha cerrado la puerta, y que ya no hay esperanza para ellas. Pero recuerde, si seguimos perseverando en la oración, el Amigo se levantará para darnos lo que estamos pidiendo.

"8 Os digo, que aunque no se levante a dárselos por ser su amigo, sin embargo por su importunidad se levantará y le dará todo lo que necesite."
Lucas 11.8

La palabra **importunidad** es la traducción del vocablo griego *"anaideía"*, y significa descaro, diligencia, persistencia, atrevimiento, tenacidad, perseverancia audaz e intrépida; urgente, persistencia determinante, decidido, resuelto, firme, reclamar la petición hasta el límite.

Cuando investigamos el significado de la palabra **importunidad**, nos damos cuenta de que, en el relato, ésta era la clave para que el Amigo se levantara y le diera al que gritaba fuera lo que necesitaba.

La perseverancia es una de las virtudes de carácter que nos ayudan a tener éxito en la vida.

Dios usa el adiestramiento en la perseverancia para desarrollar nuestra fe. A veces, Él lleva esa fe hasta el límite –deja que llegue el último día, la última hora; sudamos, estamos exhaustos, parece que no vamos a lograrlo...– y entonces, Él dice "ya". El "entrenador" nos hace sudar para ejercitar nuestra fe. Por eso es más fácil hacer las cosas en la carne que hacerlas en la fe; pero los resultados son distintos. En la carne, no llegamos a ser más que unos mediocres y perdedores, mientras que en la fe, somos ganadores, nos llevamos la medalla de oro.

Hay personas para las que Dios tiene el milagro a la vuelta de la esquina. Han orado por una situación durante muchos años, pero sobre el final, cuando ya están a punto de recibirlo, se desaniman, dejan de interceder por su esposo, por su casa, por sus hijos, por el llamado que Dios tiene para sus vidas o por su negocio; en fin, desmayan, no perseveran. Otras, tratan de resolverlo en sus propias fuerzas, en la carne.

Ilustración: Abraham y Sara. Cuando ellos vieron que la promesa que Dios les había hecho no llegaba, trataron de ayudarlo a cumplirla. Abraham, por consejo de Sara, tuvo intimidad con su sirvienta Agar y, como resultado, les nació un hijo al que llamó Ismael. Pero este hijo –que no era el que Dios le había prometido– terminó causando muchísimos problemas a la descendencia que Dios le dio a Abraham, hasta el día de hoy. Los descendientes de Ismael son los musulmanes, y es de conocimiento público la guerra constante en que viven ambos pueblos. Esto sucedió por la desesperación y por obrar según la sabiduría carnal. El punto que quiero marcar es que tenemos que perseverar, no apresurarnos y creer que el Padre cumplirá lo que nos prometió.

Ilustración: En el tiempo en que yo estaba edificándole casa a Dios, llegó un momento en que me hacían falta dos millones de dólares para comprar el equipo de sonido y televisión del templo. Desde un principio, Dios me había dicho que no pidiera préstamos al banco y, hasta ese momento, Él había suplido todo el dinero que necesitaba para edificar su casa. Pero como yo quería terminar rápido, fui a distintos bancos a tratar de conseguir un préstamo para los equipos. Curiosamente, todas las puertas se me cerraron y ninguno quiso darme el préstamo. Entonces, entendí que era Dios quien cerraba las puertas porque Él me había ordenado que edificara en efectivo. Sin embargo, en mi apuro, traté de ayudarlo y la impaciencia me estaba llevando a cometer un error como el de Abraham. Cuando fui a la presencia de Dios y le pregunté qué hacer, su respuesta fue la siguiente: "Si yo te he suplido todo el dinero para el edificio, ¿cómo no te voy a dar el dinero para los equipos?". Humillado, le pedí perdón y de inmediato, Dios proveyó el dinero que faltaba. Esto me enseñó que no importa cuánto tarde Dios en cumplir sus promesas, debo esperar, confiar y no desesperarme, pues de ser así, terminaré obrando según la carne, y luego, sufriré graves consecuencias. ¡Prefiero creerle a Dios y esperar su provisión!

¿Cómo podemos aplicar este principio en nuestra vida?

Si hemos estado orando por lo mismo desde hace mucho tiempo y la respuesta no ha llegado, no nos podemos dar por vencidos. Tenemos que llevar nuestra petición ante nuestro Amigo Dios. Sigamos intercediendo para dar pan a nuestros amigos, con una tenacidad descarada, con perseverancia audaz, intrépida, reclamando la petición hasta los límites, decididos a mantenernos firmes para que nuestro Amigo nos dé el pan para nuestra familia, nuestro hermano, compañero de trabajo, etcétera. Recuerde que la importunidad es clave para obtener el pan para otros. Es tiempo de que los creyentes vayamos a la presencia del Padre celestial e intercedamos a favor de otros. Dejemos de estar orando siempre por nuestros deseos y vayamos a buscar pan para el hambriento, para el que necesita liberación, salvación; pan para nuestros hijos, para nuestra familia, para la nación, para la iglesia.

Ilustración: Unas semanas antes de ir a predicar a una nación (al igual que días antes de predicar en la iglesia), yo me separo con Dios para prepararme, para buscar al Padre y preguntarle qué quiere darle a ese pueblo, cuál es la comida, cuál es el pan. Y Él me da instrucciones, me da la palabra que les voy a predicar, el pan que les voy a dar; por ejemplo, me dice que les quiere ministrar liberación, que les quiere ministrar sanidad, que quiere hacer milagros. Es decir, yo voy... me paro en su presencia, y busco su corazón para poder identificarme con ese pueblo y para que el Padre me dé su pan. Entonces, Él me da la unción para liberar, sanar y hacer milagros, lo llevo a la iglesia o nación y el pueblo es bendecido. Pero para lograr esto, tengo que dejar a un lado mis necesidades. Hoy yo le digo a usted, si es un creyente que está leyendo este libro: Es tiempo de que cruce la línea de sólo orar al Padre y tener esa intimidad con Él (que no deja de ser lo más importante) a buscar el pan para otros. ¡Es tiempo de cruzar la línea de la oración a la intercesión!

¿Qué sucede si nos mantenemos firmes y seguimos persistiendo en la intercesión?

En el siguiente pasaje bíblico, Dios nos garantiza nueve veces que recibiremos lo que estamos pidiendo si perseveramos hasta el final.

> *"⁹Y yo os digo: Pedid, y se os dará; buscad, y hallaréis; llamad, y se os abrirá."*
> *Lucas 11.9*

En el verso nueve, vemos las tres primeras garantías. En el idioma griego, este pasaje está en el tiempo Presente Continuo, lo que significa que la acción no ocurre una vez, sino de continuo. En el verso diez, Jesús nos da tres garantías más.

> *"¹⁰Porque todo aquel que pide, recibe; y el que busca, halla; y al que llama, se le abrirá." Lucas 11.10*

En los versos once y doce, recibimos tres garantías más, pero también nos dice que no hay posibilidad de que terminemos con la respuesta incorrecta. Nos garantiza que recibiremos la contestación y que ésta será lo que hayamos pedido.

> *"¹¹¿Qué padre de vosotros, si su hijo le pide pan, le dará una piedra? ¿o si pescado, en lugar de pescado, le dará una serpiente?¹²¿O si le pide un huevo, le dará un escorpión?"*
> *Lucas 11.11, 12*

En la Escritura, la piedra simboliza o representa el legalismo por su rigidez y frialdad. La ley de Dios fue escrita en piedras, lo cual simbolizaba la religiosidad que marcaría las generaciones judías hasta que llegara Jesús con el nuevo pacto. El Padre nunca nos va a llamar al legalismo. Jesús dijo que Él es el pan del Cielo; nunca nos llevará a una vida repetitiva, rutinaria, sin contenido y vacía de *su* vida.

> *"35 Jesús les dijo:*
> *Yo soy el pan de vida; el que a mí viene,*
> *nunca tendrá hambre; y el que en mí cree,*
> *no tendrá sed jamás."*
> *Juan 6.35*

Si usted busca vida, el Padre no le dará una respuesta legal, no lo llevará de la vida a la muerte, de la vida al legalismo, de la vida a la tradición, de la vida a la atadura. Si usted sigue pidiendo, buscando y llamando, Él siempre lo llevará a la vida. Hay una sola persona que lo lleva al legalismo, Satanás. Él pervierte la vida divina en nosotros y la lleva a ser una piedra fría, rígida, atada a las costumbres, ritos y ceremonias que intentan reemplazar la relación de vida que Dios pensó compartir con nosotros. La serpiente es siempre un simbolismo de demonios. Nosotros tenemos poder sobre las serpientes y los demonios, por lo tanto, podemos vencer el legalismo y erradicarlo de nuestra existencia.

> *"19 He aquí os doy potestad de hollar serpientes y*
> *escorpiones, y sobre toda fuerza del enemigo,*
> *y nada os dañará."*
> *Lucas 10.19*

El Señor nunca permitirá que el diablo nos dé algo satánico, falso, en lugar de un regalo genuino de parte de Él. Las últimas tres garantías se tratan de que la respuesta será buena o favorable y que el Padre no permitirá que el enemigo la contamine.

En el siguiente verso, Dios nos habla del regalo que quiere darnos y de la razón principal del mismo.

> *"13 Pues si vosotros, siendo malos, sabéis dar buenas*
> *dádivas a vuestros hijos, ¿cuánto más vuestro Padre*

celestial dará el Espíritu Santo a los que se lo pidan?
Lucas 11.13

El espíritu Santo fue dado, primordialmente, para que el mundo sea convencido de que Satanás ya fue juzgado.

"8 Y cuando él venga, convencerá al mundo de pecado, de justicia y de juicio. 9 De pecado, por cuanto no creen en mí; 10 de justicia, por cuanto voy al Padre, y no me veréis más; 11 y de juicio, por cuanto el príncipe de este mundo ha sido ya juzgado."
Juan 16.8-11

La razón por la cual Jesús nos envió al Espíritu Santo fue darnos el poder para destruir toda obra satánica. Éste es el propósito primario. Gracias a Dios por las lenguas, las disfruto y me fortalecen, pero su propósito principal es destruir las obras del diablo. El Espíritu Santo nos fue enviado para ayudarnos en la intercesión, porque muchos de esos problemas económicos, físicos o familiares son de origen satánico. Para derrotar al enemigo, necesitamos al Espíritu Santo; sin Él nada podemos hacer.

La razón por la que vamos a pedir pan para nuestro amigo es que reconocemos que, en nuestras fuerzas, no podemos generar la respuesta; pero, entonces, descubrimos que no se puede empezar a interceder por la carencia de la gente sin antes atacar a los demonios que la causan. Por eso Jesús introduce al Espíritu Santo en este nivel de oración, porque Él es quien nos auxilia para interceder de manera efectiva.

"26 Y de igual manera el Espíritu nos ayuda en nuestra debilidad; pues qué hemos de pedir como conviene, no lo sabemos, pero el Espíritu mismo intercede por nosotros con gemidos indecibles."
Romanos 8.26

Entonces, podemos resumir que, en la intercesión por otros, el Espíritu Santo usa nuestra humanidad para ir al Padre a buscar pan y darles de comer. Él es quien nos pone la compasión para identificarnos, sentir el dolor de otros y orar correctamente. También, podemos concluir que Dios nos entrena en una atmósfera amigable para desarrollar perseverancia y estirar nuestra fe porque, más adelante en el camino, las vamos a necesitar para ganar grandes batallas contra el enemigo. Y éstas ya no serán en un ambiente amigable sino en una atmósfera de guerra y de lucha implacables contra un enemigo tenaz.

*La perseverancia, tenacidad o persistencia
en la intercesión es la clave
para ganar las grandes victorias.*

¿Cómo podemos perseverar en la intercesión por un amigo?

Al tener una relación personal e íntima con Dios Padre, desarrollamos dos virtudes divinas que son esenciales para poder perseverar en la oración de intercesión:

1. La gracia de Dios

Si le damos una definición a la gracia de Dios, podemos afirmar que es el poder divino, dado gratuitamente a cada uno de nosotros para lograr aquello que no podemos hacer en nuestras propias fuerzas, y para poder ser todo aquello que Dios nos mandó a ser. Si le pedimos su gracia, su poder divino, Él será fiel y nos lo dará. Cuando vengan momentos difíciles en que no tengamos las fuerzas para continuar orando por nuestros amigos, acudiremos al Espíritu Santo y Él nos suplirá esa gracia que renovará nuestras fuerzas para permanecer orando hasta que Dios suelte el milagro.

2. El amor de Dios

Cuando hablamos del amor de Dios, nos referimos a una dádiva incondicional. Nadie puede orar por otro si no se identifica con su necesidad a través de un amor genuino. Creo que el amor es de vital importancia en un intercesor, es la fuerza que lo impulsa. Cuando sobrevienen los momentos de debilidad, de desánimo, en que ya no quedan fuerzas, el amor es lo que llena, lo que alimenta al intercesor, es la gasolina para seguir perseverando hasta que haya un rompimiento y que el Padre traiga el pan (en este caso, la liberación, la sanidad, la restauración matrimonial para aquellos por los cuales hemos orado).

Quiero hacerle algunas preguntas:

Usted, ¿está dispuesto a cruzar la línea de la oración a la intercesión? ¿Está dispuesto a olvidarse de sus necesidades y orar por sus amigos que necesitan pan? ¿Sabe que Dios es su amigo? ¿Sabe por qué el Padre ha demorado la respuesta a sus oraciones? ¿Está dispuesto a seguir persistiendo? ¿Quiere invitar al Espíritu Santo para que le ayude a interceder, y le dé la gracia para seguir orando? ¿Anhela la presencia del Espíritu Santo para que le ayude a destruir las obras de Satanás?

Sea sincero al contestar estas preguntas, y si nota que sus respuestas no están de acuerdo a la voluntad de Dios, arrepiéntase con corazón sincero y comience a cambiar por el poder del Espíritu Santo. Repita la siguiente oración en voz alta:

"Padre celestial, yo me arrepiento por mi egoísmo
y por no mirar las necesidades de mis hermanos.
Hoy tomo la decisión de cruzar la línea
de la oración a la intercesión.
Perseveraré en ella, orando por las carencias de otros,
hasta ver el rompimiento.
Espíritu Santo, ayúdame a perseverar,
dame tu gracia y tu amor, renueva mis fuerzas
y llévame a la victoria, pues estoy en esta Tierra
para hacer la voluntad del Padre."

CAPÍTULO III

Cruzando la línea de la intercesión a la guerra

Una vez que nos introducimos en el nivel de orar por las necesidades de nuestro prójimo, nos damos cuenta de que muchos de los problemas del ser humano son de origen satánico; y por eso, en el nivel de oración anterior, Jesús nos da al Espíritu Santo. Si usted no sabe lidiar con los demonios, no podrá darle solución a muchos de los problemas y necesidades de la gente. En cada lugar donde hay un conflicto espiritual, usted puede activar al poderoso Espíritu de Dios para destruir las obras del diablo. Necesitamos ese poder porque, cuando uno mide las necesidades de la gente, se da cuenta de lo pequeño que es y dice: "No hay forma de que yo pueda solucionar esa situación en este matrimonio, esa depresión, esa crisis financiera o esa enfermedad". Para ser más detallado, puedo decirle que el 75% de esos problemas son de origen demoníaco. Tenemos que aprender a estar disponibles para el Espíritu Santo y saber usar el poder que hemos recibido, pues sólo así podremos suplir la necesidad de la gente. ¡Que Él lo haga a través de nosotros, y destruya todo aquello que es de origen satánico!

¿Cómo cruzamos la línea de la intercesión a la guerra?

Ni bien Jesús nos habla del Espíritu Santo, nos lleva al tercer nivel de oración, que se trata de echar fuera demonios. Nos cruza de la intercesión a la guerra contra los demonios que atormentan a la gente. Aquí hay una conexión. Si examinamos los diferentes niveles de oración, en el Capítulo XI del libro de Lucas, vemos lo siguiente:

❖ El primer nivel consiste en orar como hijos y desarrollar una relación personal con Dios Padre.

Allí debemos alcanzar o recibir la revelación de la paternidad divina para poder acercarnos confiadamente, conociéndole a Él como padre y a nosotros como hijos.

❖ El segundo nivel consiste en interceder por otros, buscar "pan" para nuestros amigos.

Aquí entramos a los bordes de la guerra. No es la guerra propiamente dicha, si no un entrenamiento, una batalla de bajo nivel (a nivel de la Tierra), el cual implica desarrollar perseverancia y fe hasta recibir la respuesta para el amigo. Esta lucha no se desarrolla en el campo de batalla, sino en una atmósfera amigable o terreno pacífico, donde por lo general, es Dios mismo quien demora la respuesta, pues con esto desarrolla fe y perseverancia en sus futuros guerreros.

Ilustración: El ejército, para entrenar a sus soldados, usa terrenos propios preparados con equipamiento y sets parecidos a lo que se puede encontrar en un campo de batalla real. En dicho lugar, los soldados pasan sus entrenamientos prácticos y tácticos, repitiendo una y otra vez, los ejercicios que los prepararán para la guerra. Aprenden a usar las distintas armas y a manejar su equipo; son disciplinados por sus superiores y comienzan a apartarse de la vida civil. En esta etapa, si se cansan o se equivocan, las consecuencias no son graves, y pueden volver a repetir el ejercicio hasta perfeccionarlo. En la guerra real, un error puede costar vidas o la guerra misma. Así es, también, en el mundo espiritual, ir a la guerra sin estar preparado, sin saber usar el equipamiento o las armas, o sin la autoridad delegada correspondiente, puede causar la muerte de otros o la propia, incluso, puede llevar a su bando a la derrota.

❖ El tercer nivel consiste en lidiar con demonios y echarlos fuera, con el poder del Espíritu Santo. Aquí es Él operando, desde el principio hasta el final, y lo hace usando nuestra humanidad.

*"14 Estaba Jesús echando fuera un demonio, que era
mudo; y aconteció que salido el demonio,
el mudo habló; y la gente se maravilló.
15 Pero algunos de ellos decían: Por Beelzebú,
príncipe de los demonios, echa fuera los demonios.
16 Otros, para tentarle, le pedían señal del cielo.
17 Mas él, conociendo los pensamientos de ellos, les dijo:
Todo reino dividido contra sí mismo, es asolado;
y una casa dividida contra sí misma, cae.
18 Y si también Satanás está dividido contra sí mismo,
¿cómo permanecerá su reino? ya que decís que por
Beelzebú echo yo fuera los demonios.
19 Pues si yo echo fuera los demonios por Beelzebú,
¿vuestros hijos por quién los echan?
Por tanto, ellos serán vuestros jueces. 20 Mas si por el
dedo de Dios echo yo fuera los demonios,
ciertamente el reino de Dios ha llegado a vosotros."*

Lucas 11.14-20

¿A qué se refiere Jesús con la expresión "el dedo de Dios"?

En el Nuevo Testamento, Jesús usa una expresión que ya se
había oído en el Antiguo: *"por el dedo de Dios"*. El Espíritu
Santo es la fuente del poder total por medio del cual somos
capaces de derrotar a Satanás, a sus demonios y a sus aliados,
como vemos en lo que sucedió con Moisés y los brujos del
faraón de Egipto.

*"17 Y ellos lo hicieron así; y Aarón extendió su mano
con su vara, y golpeó el polvo de la tierra,
el cual se volvió piojos, así en los hombres como en las
bestias; todo el polvo de la tierra se volvió piojos
en todo el país de Egipto. 18 Y los hechiceros
hicieron así también, para sacar piojos con sus
encantamientos; pero no pudieron.
Y hubo piojos tanto en los hombres
como en las bestias. 19 Entonces los hechiceros
dijeron a Faraón: Dedo de Dios es éste.*

Mas el corazón de Faraón se endureció, y no los
escuchó, como Jehová lo había dicho."
Éxodo 8.17-19

Moisés había obrado milagros por la palabra de fe que Dios le había dado para que hablara, pero a partir de *ese* milagro, ya no fue más él, sino Jehová quien entró en la batalla. Por eso los hechiceros ya no podían competir. Hasta ese punto, ellos habían imitado todo lo que Él hacía por la palabra que Moisés hablaba, pero cuando alcanzan el punto de un milagro creativo, en que Dios convierte el polvo en piojos y ellos no pueden repetirlo, reconocen que es obra del dedo de Dios. La batalla había llegado a un punto culminante, donde la superioridad del Dios de Moisés se hizo visible.

¿Qué es el dedo de Dios?

El dedo de Dios es el Espíritu Santo, vistiéndose con un cuerpo humano y entrando Él mismo en la batalla.

Una vez que usted conozca el lugar del hombre en los propósitos divinos, todo su entendimiento acerca de la prioridad de la oración, cobrará otro sentido. Dios creó al hombre para que gobernara la Tierra, y eso no ha cambiado, pero Él es justo aun con sus enemigos. El Señor no puede juzgar a Satanás porque, de hacerlo, en su juicio también entraría toda la raza humana (que aún está en el reino de las tinieblas) y tendría que enviarla al Infierno. Dios mantiene la puerta de Salvación abierta para todos los hombres porque, aunque Él es todopoderoso, está limitado por su justicia y por su palabra. No puede mentir ni actuar injustamente, ni siquiera con sus enemigos.

La única razón por la cual este mundo continúa en pie y el diablo sigue operando, es que el hombre que habita en él se salve. A su vez, Satanás tampoco puede extender su reino si no tiene un ser humano a quien usar. Él también está limitado por las leyes y la palabra de Dios. ¡Y pensar que muchos hombres ni siquiera saben que están trabajando para Satanás! Sólo unos pocos lo hacen conscientemente.

Entonces, la respuesta de Dios contra los poderes demoníacos es encontrar un canal humano para que el Espíritu Santo se meta en él y pueda cumplir su voluntad y convertirse en el dedo de Dios. Los demonios huyen con gran temor cuando escuchan la frase *"por el dedo de Dios"*, porque saben que ése es el Espíritu Santo vestido de humanidad; alguien le ha prestado su cuerpo y está listo para entrar en la batalla.

¿Quisiera usted ser el dedo de Dios? ¿Quisiera prestar su cuerpo al Espíritu Santo? Jesús echó fuera demonios por el Espíritu de Dios; era el dedo divino obrando a través de la humanidad de Jesús.

¿Cuáles son los propósitos principales por los cuales el Espíritu Santo vino a la Tierra?

1. El Espíritu Santo vino a echar fuera demonios y destruir las obras del diablo.

> *"8 El que practica el pecado es del diablo; porque el diablo peca desde el principio. Para esto apareció el Hijo de Dios, para deshacer las obras del diablo."*
>
> *1 Juan 3.8*

El Espíritu Santo busca una persona que esté disponible para poder sanar a los enfermos, libertar a los cautivos y destruir las obras del diablo a través de su humanidad.

Ilustración: Cada vez que veo a una persona enferma, siento una ira santa crecer en mi interior, y digo: "Espíritu de Dios usa mi humanidad para deshacer ese cáncer, para deshacer esa artritis y toda enfermedad que hay en los cuerpos".

Como decíamos antes, a veces no nos damos cuenta, pero el origen de muchas enfermedades es espiritual. Hay una actividad demoníaca operando en el cuerpo de las personas. Vamos a ver un ejemplo bíblico de esto:

> *"¹⁰Enseñaba Jesús en una sinagoga en el día de reposo; ¹¹y había allí una mujer que desde hacía dieciocho años tenía espíritu de enfermedad, y andaba encorvada, y en ninguna manera se podía enderezar. ¹²Cuando Jesús la vio, la llamó y le dijo: Mujer, eres libre de tu enfermedad. ¹³Y puso las manos sobre ella; y ella se enderezó luego, y glorificaba a Dios. ¹⁴Pero el principal de la sinagoga, enojado de que Jesús hubiese sanado en el día de reposo, dijo a la gente: Seis días hay en que se debe trabajar; en éstos, pues, venid y sed sanados, y no en día de reposo. ¹⁵Entonces el Señor le respondió y dijo: Hipócrita, cada uno de vosotros ¿no desata en el día de reposo su buey o su asno del pesebre y lo lleva a beber? ¹⁶Y a esta hija de Abraham, que Satanás había atado dieciocho años, ¿no se le debía desatar de esta ligadura en el día de reposo?"*
>
> Lucas 13.10-16

Aquí Jesús nos narra la historia de una mujer atormentada por un espíritu de enfermedad; ésta era la causa del mal en su espalda. Él puso sus manos sobre ella, oró y en seguida su espalda se enderezó. La torcedura que tenía esta mujer era producto de un espíritu de enfermedad que la tenía subyugada.

¿Cuántas personas hoy en día están atadas por espíritus de enfermedad enviados desde el mismo Infierno? El diablo se goza mandando enfermedades a los cristianos porque, de esa manera, los inutiliza y les impide cumplir su mandato de ganar almas para Cristo. Cuando estoy en una cruzada de milagros y veo al pueblo atormentado, con los rostros pálidos y la muerte reflejada en ellos, entiendo que nuestra lucha es contra fuerzas espirituales. Siento crecer en mi interior una ira santa, la ira que Jesús sintió cuando vio esto en los rostros de su pueblo. Pero, a la vez, me doy cuenta de que, en mis propias fuerzas, no tengo la solución. Debo depender totalmente del Espíritu Santo. Él es quien vino a destruir las obras del diablo. La enfermedad, la depresión, la epilepsia, el cáncer, la artritis son enfermedades causadas por espíritus inmundos.

Muchas personas ya se acostumbraron a su enfermedad, porque la han padecido por tanto tiempo... que ya no recuerdan lo que es estar sanas. El problema es que han lidiado con la telaraña, mas no con la araña, la raíz, el origen demoníaco de su mal. Allí está el secreto para que sean libres. Muchos de los científicos que están buscando la cura para el cáncer, llegan a un momento en que parece que la han encontrado, pero entonces vuelven atrás, no dan con la cura. No encuentran soluciones verdaderas y definitivas porque están lidiando con espíritus demoníacos.

Desafortunadamente, la iglesia ha perdido el concepto de guerra espiritual, y cree que todo es mental, emocional o psíquico. Es necesario que abramos los ojos y veamos que los demonios están operando, tanto como las fuerzas vivas de Dios. No podemos permanecer "inocentes" a esto. El hecho de que esta guerra sea espiritual no significa que no sea real y muy fuerte. Tendemos a ignorar la operación de las fuerzas espirituales en nuestro diario vivir. Así decimos: "Si tiene un problema en la espalda, es un hueso roto, es un disco herniado". La respuesta es física. Pero Jesucristo le llamó "espíritu de enfermedad"; le impuso sus manos y le ordenó que se fuera... ¡Y se fue! Es tiempo de buscar la raíz de los problemas y de tomar autoridad sobre todos los demonios que atormentan a la gente.

2. El Espíritu Santo vino a convencer al mundo de pecado, de justicia y de juicio.

> *«8 Y cuando él venga, convencerá al mundo de pecado, de justicia y de juicio. 9 De pecado, por cuanto no creen en mí; 10 de justicia, por cuanto voy al Padre, y no me veréis más; 11 y de juicio, por cuanto el príncipe de este mundo ha sido ya juzgado."*
>
> Juan 16.8-11

Cuando el Espíritu Santo viene sobre nosotros, nos usa como canales para liberar al pueblo de Dios de ataduras emocionales, espirituales y físicas; Él convence a la gente de que el príncipe de este mundo, el cual es Satanás, ya ha sido juzgado. Cada vez que expulsamos a un demonio se pone de manifiesto que es el Espíritu Santo usando nuestra humanidad para mostrar que el diablo ya fue juzgado y sentenciado en la cruz del Calvario. Es el Espíritu de Dios el que echa fuera a los demonios a través de nuestra vida, no nosotros; pero usted y yo debemos estar dispuestos a ser su dedo. Por ejemplo, podemos echar a un espíritu de enfermedad diciendo: *"Yo vengo como el dedo de Dios y te digo que tienes que irte hoy. ¡Demonio de enfermedad, vete en el nombre de Jesús!"*. ¡Éste es el final de la batalla!

Si conectamos esto con lo que los magos y hechiceros dijeron –*"éste es el dedo de Dios"*–, vemos que el diablo reconoce el poder del Espíritu Santo operando en un ser humano, porque Jesús fue el primero que se lo demostró. Amigo lector, si usted es un creyente, hijo de Dios, puede decir en voz alta: *"Yo soy el dedo de Dios destinado a deshacer las obras del diablo y a echar fuera a los demonios"*. Dios está buscando un hombre para hacer avanzar su reino e ir en contra del reino de las tinieblas. Él dice en su palabra: "Busqué un hombre que se parara en la brecha". Esto significa que Él siempre está buscando un intercesor. Asimismo, Jesucristo se hizo hombre obediente a Dios Padre para ser usado como canal para bendecir a otros. Jesús fue el primer intercesor.

¿Qué hizo a Jesús "grande"?

Cuando decimos que Dios hizo a Jesús "grande", no estamos hablando de Jesús como ser de la divinidad. Él siempre ha sido Dios y lo será, por lo tanto siempre ha sido "grande". Estamos hablando de qué lo hizo "grande" como ser humano común y corriente –pues así vino Él a la Tierra–. La única diferencia entre nosotros y Jesucristo es que su cuerpo físico era igual al que tenía Adán *antes* de pecar, pero dice la Biblia que fue tentado en todo y, a diferencia de Adán, ¡no pecó! Por lo tanto, lo que hizo "grande" a Jesús fue su total obediencia al Padre durante los treinta y tres años y medio que caminó en la Tierra. Fue tan así que dijo: "Yo no hago nada que no vea al Padre hacer".

> *"¹⁹Respondió entonces Jesús, y les dijo:*
> *De cierto, de cierto os digo: No puede el Hijo hacer*
> *nada por sí mismo, sino lo que ve hacer al Padre;*
> *porque todo lo que el Padre hace,*
> *también lo hace el Hijo igualmente."*
> *Juan 5.19*

❖ **La total obediencia de Jesús al Padre lo hizo impenetrable para el reino de las tinieblas.**

En una oportunidad, Jesús dijo:

> *"³⁰...viene el príncipe de este mundo,*
> *y él nada tiene en mí."*
> *Juan 14.30*

Él hizo este comentario porque, como ser humano, vivía en total obediencia al Padre por la gracia divina. Esto le dio la autoridad en la Tierra para sanar a los enfermos, echar fuera demonios y libertar a los cautivos. Así también, nosotros podemos vivir en total obediencia al Padre por la gracia de Dios, y hacer las mismas obras que Jesús hizo, y mayores, según Él mismo prometió.

❖ **La total disponibilidad de Jesús al Espíritu Santo lo hizo grande como ser humano.**

A través de toda la Escritura, encontramos que el Hijo de Dios estaba disponible para el Espíritu Santo. El Evangelio de Lucas, relata cómo el Espíritu de Dios fluía a través de la vida de Jesús y cómo Él obraba milagros por el poder de ese Espíritu. Es más, Jesús le acredita los milagros diciendo: *"por el dedo de Dios echo fuera demonios".*

Jesús fue concebido por obra y gracia del Espíritu Santo en María, y a la hora de su bautismo, fue ungido por el mismo Espíritu, con un propósito específico:

> *"¹⁸El Espíritu del Señor está sobre mí,*
> *por cuanto me ha ungido para dar buenas nuevas*
> *a los pobres; me ha enviado a sanar*
> *a los quebrantados de corazón; a pregonar libertad*
> *a los cautivos, y vista a los ciegos;*
> *a poner en libertad a los oprimidos..."*
> *Lucas 4.18*

Para esto fue ungido el Hijo del Hombre. En estos versos, se resumen las necesidades básicas del ser humano de hoy y del tiempo de Jesucristo. En cada mención, vemos manifestado un problema y Jesús dice: "Yo fui ungido por el Espíritu Santo para cambiar eso". Él fue ungido para sanar al enfermo, libertar a los cautivos, a los oprimidos por el diablo, y dar a los presos apertura de cárcel, por su constante e incondicional disponibilidad para el Espíritu Santo.

"Jesús, lleno del Espíritu Santo, volvió del Jordán,
y fue llevado por el Espíritu al desierto..."
Lucas 4.1

El Espíritu Santo fue quien guió a Cristo a la batalla y lo enfrentó contra Satanás para que su identidad, como hijo, fuera probada y alcanzara un nivel mayor de autoridad.

"²¹ Aconteció que cuando todo el pueblo se bautizaba,
también Jesús fue bautizado; y orando, el cielo se abrió,
²² y descendió el Espíritu Santo sobre él en forma corporal,
como paloma, y vino una voz del cielo que decía:
Tú eres mi Hijo amado; en ti tengo complacencia."
Lucas 3.21, 22

El Padre y el Espíritu Santo confirmaron que Jesús era el Hijo. Pero el diablo dijo: "¡Objeción! Yo tengo que probar su identidad como tal". Por eso el Espíritu de Dios llevó a Jesús al desierto. Una vez más, vemos a Jesús cediendo a los impulsos del Espíritu, abriendo su corazón y dejándose guiar por Él. Recuerde que estamos hablando de lo que hizo "grande" al Hijo de Dios en su humanidad. Entonces, Cristo venció las tres tentaciones que el diablo le presentó, las cuales tenían que ver con su identidad como hijo humano de Dios. Allí vemos que el Padre es justo hasta con sus enemigos, debido a eso fue que le permitió al diablo la oportunidad de probar la identidad de Jesús.

¿Cómo nos damos cuenta de que somos hijos de Dios?

Nos damos cuenta de que somos hijos:

❖ por las Escrituras
❖ por el Espíritu Santo

Jesús no tenía un control o dispositivo divino que sacaba cuando venía la tentación, para vencerla. Él no tenía la opción de decir: "Esto lo voy a manejar como Dios". Si hubiera hecho trampa, su muerte en la Cruz nunca hubiera sucedido, ni nada de lo que este sacrificio logró para el resto de los hombres. Entonces, Él enfrentaba las tentaciones al igual que nosotros, con la misma humanidad, pero bajo el poder del Espíritu Santo; operaba los milagros estando disponible para el Espíritu de Dios y siendo totalmente obediente al Padre. Nosotros hoy podemos proceder del mismo modo, siguiendo su ejemplo perfecto.

> *"14 Y Jesús volvió en el poder del Espíritu a Galilea, y se difundió su fama por toda la tierra de alrededor."*
> *Lucas 4.14*

¿Por qué Jesús volvió en el poder del Espíritu Santo? Porque venció la prueba del desierto. El desierto representa un problema, un momento de crisis. Hay muchos creyentes que no han vencido esta prueba, y se encuentran en situaciones difíciles, en desiertos financieros, matrimoniales, de desánimo, de tristeza, de soledad, de depresión, de enfermedad. Pero ellos nunca lo vencieron. ¿Por qué? Porque no han recibido al Espíritu Santo ni han sido guiados por Él.

Muchas veces, cuando entramos en estos desiertos, no hacemos otra cosa que quejarnos y murmurar. Sin embargo, eso no es lo que Dios espera de nosotros. Él quiere que usemos su palabra y digamos, como dijo Jesús: "Escrito está... Escrito está... Escrito está...". Y de esa misma forma, quiere que seamos guiados por el Espíritu Santo para salir del desierto y volver en su poder a ser el dedo de Dios y sanar a los enfermos, libertar a los cautivos y echar fuera a los demonios.

También, vemos en el libro de Lucas, que Cristo se refirió a la blasfemia contra el Espíritu Santo. **Blasfemar** es hablar mal de o hablar en contra de. Acreditar obras de Dios al diablo es una blasfemia. Muchas personas critican cuando ven una sanidad o una liberación, porque no están acostumbradas a presenciar las manifestaciones del poder de Dios. Sin embargo, la Escritura enseña que Jesús echaba fuera demonios, incluso, dentro de las mismas sinagogas. Ahora nos sorprendemos porque el espíritu de humanismo e intelectualismo, que domina a esta sociedad, niega todo lo sobrenatural –los milagros, las sanidades y la expulsión de demonios–. Pero a Cristo, lo vemos en todos los Evangelios, echando fuera demonios, sanando a los enfermos y liberando a los cautivos.

¿Cuál es el punto principal de todo lo dicho? El punto es que en el libro de Lucas, a partir del versículo 14 del Capítulo XI, cruzamos la línea de la intercesión para ir a echar fuera a los demonios que están causando enfermedades emocionales, físicas y espirituales a las personas. Para eso se nos ha dado el poder.

Conocer lo que hizo "grande" a Jesucristo nos inspira como cristianos, porque podemos hacer lo mismo que Él hizo, si somos totalmente obedientes a Dios y le prestamos nuestro cuerpo al Espíritu Santo para que fluya a través de nosotros. De esa forma, pasamos de la intercesión... ¡a la guerra!

Ilustración: Cuando oro por ciertas personas, siento una gran oposición, y percibo la operación de un espíritu inmundo que no quiere que la respuesta llegue a ellas. Entonces, por el dedo de Dios, echo fuera al espíritu de enfermedad, y aunque no quiera, es forzado a huir. Debemos aprender a estar disponibles, a dejarnos guiar, impulsar, a ceder nuestra voluntad al Espíritu de Dios para que Él entre en la guerra y destruya todas las obras del enemigo.

En conclusión, el Espíritu Santo es el único ser que conoce el origen de los problemas humanos, tanto los de índole física como los de índole emocional. Él quiere obrar en las personas, pero necesita que alguien, ser humano también, le preste su cuerpo y voluntad, se muestre disponible para Él y sea obediente a Dios para obrar. Él es quien, invistiéndose de nuestra humanidad, echa fuera a los demonios, sana a los enfermos y convence al mundo de pecado, de justicia y de juicio. Nosotros estamos disponibles para pasar de la intercesión a la guerra, es decir, cruzar la línea de interceder por las necesidades a echar fuera a los demonios de las personas. Éste es el primer nivel de verdadera "guerra espiritual".

CAPÍTULO IV

Ganando la batalla legal

A partir de este capítulo y hasta el final, hablaremos de la guerra espiritual. En éste, trataremos la etapa primaria y fundamental de la misma, la batalla legal. Sepa de antemano que, sin haber librado esta batalla, no podemos pasar a ninguna otra fase. Como en la Tierra, en el plano espiritual, los derechos usurpados también se ratifican y se obtienen de vuelta en una corte legal. Si nos sujetamos a las leyes del Reino, debemos sujetarnos también a sus formas y procedimientos, y esto incluye darle al enemigo el derecho a un juicio justo. Como decía en el capítulo anterior, Dios es justo aun con sus enemigos, y si queremos la justicia divina, debemos pelear la batalla legal.

El cuarto nivel de oración, que es la batalla legal y el quinto, que corresponde a la batalla militar, están relacionados de manera muy cercana; porque no se puede ir a la militar sin haber ganado la legal. Y de nada sirve ganar la batalla legal si después no se libra la militar.

> *"²¹Cuando el hombre fuerte armado guarda su palacio, en paz está lo que posee. ²²Pero cuando viene otro más fuerte que él y le vence, le quita todas sus armas en que confiaba, y reparte el botín. ²³El que no es conmigo, contra mí es; y el que conmigo no recoge, desparrama."*
>
> *Lucas 11.21-23*

Una vez que usted comienza a echar fuera demonios, entra en la lista negra de Satanás, como le sucedió a Pablo:

> *"¹⁵Pero respondiendo el espíritu malo, dijo: A Jesús conozco, y sé quién es Pablo; pero vosotros, ¿quiénes sois?"*
>
> *Hechos 19.15*

Los demonios ya sabían quién era Pablo, estaba en la lista de los más buscados del Infierno. Satanás tiene organizado su gobierno legal y espiritual con esferas de autoridad y responsabilidad asignadas a los demonios.

"20 Él me dijo: ¿Sabes por qué he venido a ti? Pues ahora tengo que volver para pelear contra el príncipe de Persia; y al terminar con él, el príncipe de Grecia vendrá."
Daniel 10.20

El príncipe de Persia se estaba oponiendo a las oraciones de Daniel, y una gran batalla se estaba librando en los Cielos. El arcángel Miguel fue enviado por Dios a ayudar a Daniel a ganar la guerra para que la palabra de Jehová se cumpliera. Una cosa es echar fuera a los demonios de una persona, y otra –muy distinta– es hacer guerra contra Satanás y destronar sus principados y potestades. Cuando hacemos esto, entonces y sólo entonces, recibimos el avivamiento. A partir de allí, los principados pierden su poder opresivo en esa región específica; como resultado, el poder de Dios se manifiesta y miles vienen a la Salvación.

"23 El que no es conmigo, contra mí es; y el que conmigo no recoge, desparrama."
Lucas 11.23

Cuando las personas van a la guerra por propia iniciativa y sin haber pasado por los niveles previos de entrenamiento, terminan causando caos. Si hay un tiempo en el que es indispensable estar bajo la dirección del Espíritu Santo, es en la guerra espiritual. Si comenzamos a hacerlo a nuestra voluntad y criterio, vamos a "desparramar", causaremos confusión en vez de contribuir a la victoria.

En el capítulo anterior, aprendimos que cruzar la línea de la intercesión a la guerra es echar fuera a los demonios de las personas, para lo cual necesitamos la ayuda del Espíritu Santo

–porque los problemas son de origen espiritual, y si no lidiamos con esa raíz, seguirán allí y las personas terminarán muertas o destruidas por ese espíritu–. ¡No podemos permanecer pasivos ante esto! Por eso, en este capítulo, entramos al cuarto nivel de guerra, la batalla legal.

¿Qué es la batalla legal?

Antes de comenzar a explicar los detalles de la batalla legal, debemos tener en claro que ésta no es la única batalla que debemos librar, pero sí la primera y más importante. Son dos los tipos de batalla que debemos pelear contra Satanás para tomar de sus manos una ciudad, una región o la herencia que Dios tiene para nosotros. Éstas son:

- La batalla legal
- La batalla militar o física

> *"También les refirió Jesús una parábola sobre la necesidad de orar siempre, y no desmayar…"*
> *Lucas 18.1*

La batalla legal se da cuando un ser humano, nacido de Dios – que está sentado con Cristo en lugares celestiales, y sabe que ha recibido autoridad en su nombre y poder para gobernar con Él–, ejerce su derecho legal para someter su caso ante el Juez, arrebatar sus bienes de manos del diablo y tomar posesión de todo lo que le ha robado.

Un creyente puede presentarse delante del trono de Dios a exponer un caso legal en contra de un principado, una potestad, o en contra de Satanás mismo, para quitarle el botín. Puede exponer su caso y pedirle al Padre que haga justicia y le dé o le devuelva lo que le pertenece. Es decir, usted puede orar, por su cuenta, para que una ciudad sea transformada. Sus oraciones (solito en su casa) pueden hacer que el Padre emita sentencia a su favor, desate su poder y envíe ángeles a cambiar su ciudad. Reitero, un sólo ser humano, nacido de nuevo, que sepa quién es en Cristo Jesús, puede lograr un veredicto favorable y ganar una batalla legal en el mundo espiritual.

¿Cuántas personas son necesarias para ganar la batalla legal?

Para ganar una batalla legal no se necesitan miles de personas. Mateo 16.9 habla de que todo lo que atemos en la Tierra, será atado en los Cielos; nos dio autoridad para atar y desatar. Y en Mateo 18.18, dijo que si dos o tres se ponen de acuerdo, todo lo que ataren en la Tierra, sería atado en los Cielos. Por lo tanto, podemos decir que pelear una batalla legal es ir, de una a tres personas, delante del trono de Dios a acusar al diablo y pedir que nos haga justicia, que nos dé un veredicto favorable para recuperar lo que nos pertenece. Ése fue el ejemplo de la viuda.

Pelear la batalla militar antes de ganar la legal es un error. Veamos por qué:

> *"También les refirió Jesús una parábola sobre la necesidad de orar siempre, y no desmayar..."*
> *Lucas 18.1*

¿Qué es necesidad?

La palabra **necesidad** es la traducción del griego *"dei"*, que significa obligatorio, conveniente, convenir, deber, necesario, preciso, y aparece más de veinte veces en la Palabra. Hay gente que cree que, porque está bajo la Gracia, no tiene que hacer nada; porque obligarse a algo procede de la Ley. Sin embargo, la Biblia está llena de esta palabra, "necesidad", que conlleva la idea de una obligación, y literalmente, significa estar moral y legalmente obligado. La raíz de esta palabra es el verbo griego *"déo"*, que significa atar, ligar, prender, sujetar, encadenar a un preso. Lo que Jesús nos está diciendo, es que no importa si sentimos ganas de orar o no, cada creyente tiene la obligación moral de hacerlo. El hecho de que estemos bajo la Gracia, no significa que no tengamos que orar; es un deber. Es más, Samuel dijo:

> *"²³ Así que, lejos sea de mí que peque yo contra Jehová*
> *cesando de rogar por vosotros;*
> *antes os instruiré en el camino bueno y recto."*
> *1 Samuel 12.23*

La Escritura usa esta misma palabra, "necesario", cuando se refiere al deber de pagar los impuestos.

> *"⁵ Por lo cual es necesario estarle sujetos,*
> *no solamente por razón del castigo, sino también por*
> *causa de la conciencia.*
> *⁶ Pues por esto pagáis también los tributos,*
> *porque son servidores de Dios que atienden*
> *continuamente a esto mismo."*
> *Romanos 13.5, 6*

¿Usted siente deseos de pagar sus impuestos? ¿Paga los impuestos cuando lo siente en su corazón? O dice: "¡Dios mío! Estoy tan entusiasmado con pagar mis impuestos. ¡Gloria a Dios!". ¡Claro que no! Usted lo hace porque es una obligación civil hacerlo. Y así lo hacemos todos. Yo pago mis impuestos en los Estados Unidos y dondequiera que voy, porque es una obligación. Asimismo es la oración. Orar por otros es una obligación moral.

¿Por qué orar por otros es una obligación moral?

Si paramos de orar por ciertas personas, ellas se van a perder y van a ir directamente al Infierno. Ésta es la razón fundamental de que la oración sea una obligación. Esto no significa que siempre vamos a sentir el entusiasmo de hacerlo o las fuerzas para persistir. Cuando usted está en una guerra, hay momentos en que se siente terrible. Cada partícula de su cuerpo quiere irse, dejarlo todo; o quiere, al menos, ver algo que lo mantenga, que le dé la energía para seguir. Sin embargo, está atado como un prisionero en cadenas, siente deseos de gemir, de clamar. Ése es el Espíritu de Dios que quiere interceder a través de usted porque hay personas en gran necesidad.

Ilustración: Mi esposa se levanta, casi todos los días, a las tres y media de la madrugada para ir a la iglesia a orar. Muchas veces, no siente el deseo o anhelo de hacerlo, pero va porque tiene la obligación moral de orar por la iglesia, de orar por las autoridades, de orar por la ciudad, de orar por mí y por nuestros hijos. Ella sabe que su oración levanta un cerco de protección alrededor de mi vida. Se esfuerza porque es consciente de su responsabilidad de orar por el liderazgo, por la visión de la iglesia y por el pueblo. Ella va porque es una obligación moral impuesta por el Espíritu Santo, y quiera o no, debe cumplirla. Es una esclava en cadenas. Si dejamos de orar, como dijo Samuel, estaríamos pecando contra Dios.

> *"2...diciendo: Había en una ciudad un juez,*
> *ue ni temía a Dios, ni respetaba a hombre."*
> *Lucas 18.2*

Si usted pensaba que obtener bendiciones para un amigo era difícil, cuando entra en la guerra, se da cuenta de que es aun más duro lidiar con el diablo o contra los principados de una región. Si no ha aprendido a perseverar en oración e intercesión en la atmósfera amigable, nunca perseverará en una guerra más fuerte, nunca ganará la batalla legal. El diablo es un enemigo implacable y testarudo que no va a ceder a menos que sea forzado a retroceder; debe ser empujado, obligado a aceptar su derrota. De aquí, podemos ver la necesidad de aprender perseverancia en la atmósfera amigable.

Ahora estamos lidiando, no con pequeños demonios, sino con principados y potestades que se van a agarrar de su gobierno, con todas las fuerzas, hasta que un hombre los destrone. Porque sólo un hombre tiene esa autoridad. Los ángeles no tienen autoridad para echar a Satanás; el Espíritu Santo tampoco, ni el Padre. Ellos tienen el poder, pero el derecho legal sólo lo tienen los hombres. Debido a la justicia de Dios, debe ser un hombre quien gane la batalla y despeje el camino, así los ángeles podrán venir a ratificar la decisión legal. Pero si usted se va antes de ganar el juicio, su lucha es en vano. Sólo si persevera hasta la instancia final en que se dicte el veredicto de la Corte, podrá dar por ganada la batalla legal. Luego, tendrá legiones de ángeles que irán a ejecutar la orden de recuperación de bienes de la Corte.

A lo mejor, Dios les está hablando a muchas personas en este momento, que tienen diferentes casos pendientes de sentencia. No han podido lograr una victoria a pesar de haber orado, orado y orado, pero al leer este libro, sabrán en qué han fallado y aprenderán a presentar un caso legal delante del Padre, juez de todo el Universo.

La mayor parte de los cristianos no sabe orar bien delante de Dios. Por eso es importante que aprendan estos puntos.

> *2 ...diciendo: Había en una ciudad un juez,
> que ni temía a Dios, ni respetaba a hombre."
> Lucas 18.2

¿Quiénes son los personajes de esta parábola?

> *2 ...Había en una ciudad un juez..."

¿Quién es este juez? En esta historia, el juez simboliza a Dios. Pero, de la historia, surge una pregunta inmediata: ¿Por qué la parábola dice que es un juez malo? La comparación con un juez malo es para representar lo difícil del caso, no porque Dios lo sea. Si usted comienza a orar por la ciudad o por razones que tocan el territorio de los principados y potestades, su respuesta no será inmediata, pues ellos opondrán resistencia. Los mejores abogados del Infierno defenderán el caso. Se presentarán a objetar sus acusaciones, reclamando que el juez no puede oírle ni hacerle justicia si no se presentan las pruebas, como sucedió con Jesús. Entonces, Dios debe acceder a oír su argumentación aunque sepa de antemano la verdad. Recuerde que Él es justo aun con sus enemigos, por lo cual la batalla legal debe ser peleada.

El diablo es un abogado hábil que sabe cómo pelear el caso y argumentar cada punto. Dios es el juez justo, quien no dará un veredicto a favor de nadie hasta que estén todos los puntos legales sobre la mesa. Ésa es la naturaleza de Dios. Cuando Él funciona como juez, nadie puede tener de qué acusarle, Él es un juez perfecto. Aquí tenemos a esta pequeña viuda haciéndole la vida imposible al juez.

> *"³Había también en aquella ciudad una viuda,*
> *la cual venía a él, diciendo:*
> *Hazme justicia de mi adversario."*
> *Lucas 18.3*

El segundo personaje que aparece en esta parábola es una viuda. ¿A quién representa la viuda? La viuda es la acusadora, es el ser humano que está llevando el caso delante del juez. Tiene que perseguir al diablo para recuperar su gobierno y autoridad, los cuales él ha tomado ilegalmente. El acusador es una pequeña viuda que representa al cristiano más débil, quien lleva a Satanás a la Corte para sacarlo de su trono. Esto es totalmente legal porque Jesús ya lo venció en la cruz del Calvario, pero no obstante, hay que probarlo en la Corte.

En la cultura judía de ese tiempo, la viuda era la escala más baja de la sociedad, tanto así que, si no tenía hijos que se hicieran cargo de ella, pasaba a la total indigencia. Una viuda no tenía abogados, era pobre y maltratada por todos. ¿Qué nos está diciendo Jesús ahí? Si el creyente más débil conoce su posición, lleva su caso a la Corte y persevera, al final obtendrá la victoria. No tiene que ser un gran profeta o un gran evangelista, pastor, maestro o apóstol, cualquiera puede ganar el juicio. El requisito es que haya nacido de nuevo y que persevere hasta que Dios, el juez justo, pronuncie el veredicto a su favor. En la historia de la Iglesia, Dios siempre ha usado a estos "cualquiera" para tomar ciudades y naciones. Ellos han destronado principados y potestades con su intercesión.

Ilustración: En Inglaterra, en 1944, unas ancianas de 82 y 84 años –una de ellas, ciega– oraron por su nación cuando casi no quedaban cristianos allí. Llegado el tiempo, un gran avivamiento vino y tocó a toda la nación.

> *"⁴ Y él no quiso por algún tiempo; pero después de esto dijo dentro de sí: Aunque ni temo a Dios, ni tengo respeto a hombre, ⁵ sin embargo, porque esta viuda me es molesta, le haré justicia, no sea que viniendo de continuo, me agote la paciencia."*
> *Lucas 18.4, 5*

El clamor de la viuda era: *"hazme justicia de mi adversario"*. En otras palabras, decía: "dame lo que es mío". Cuando Jesús murió en la Cruz, juzgó a Satanás, y cuando resucitó, recibió toda autoridad en el Cielo y en la Tierra. Éste es el poder y la autoridad que nos dio, a sus discípulos y a nosotros, para que fuéramos al mundo. Entonces, ¿cuánto poder le queda a Satanás? ¡Ningún poder! El único que tiene es el que nosotros le cedemos. Con esto en mente, es que el apóstol Pablo aconseja a los efesios...

> *"²⁷...ni deis lugar al diablo."*
> *Efesios 4.27*

¿Cuándo le damos lugar al diablo? Lo hacemos cuando guardamos falta de perdón en el corazón, cuando le damos lugar al miedo, al resentimiento o hacemos juicio contra alguien; así abrimos la puerta y le damos derecho legal al diablo para que ataque nuestra vida. Él no tiene ninguna autoridad, excepto la que nosotros le concedemos. Si éste es su caso, ahora mismo, quítele toda autoridad al enemigo, pídale perdón a Dios; cierre esa puerta y recupere lo que le pertenece (salud, prosperidad, etcétera). Vuelva a someter a Satanás bajo sus pies. Alguien tiene que forzar en la Tierra la victoria que ya Jesús ganó en los Cielos.

Ilustración: ¿De qué nos sirve que el Congreso apruebe leyes en beneficio de los ciudadanos si no hay quién las haga cumplir? Tenemos que ir a la Corte, delante del juez, para ratificar y hacer implementar lo que ya aprobó el Congreso. Asimismo, es en lo espiritual. Ya Jesucristo obtuvo la victoria sobre el diablo y sobre el Infierno, y nosotros somos sus agentes para ratificarlo en la Tierra.

¿Qué sucedería si a mitad del caso en la Corte, el demandante se cansa y deja el caso? El veredicto será a favor de la defensa aunque ésta no tenga derecho al mismo; porque abandonar el caso, es como retirar los cargos. Si no hay quién acuse al enemigo, no hay juicio que prospere. A los cristianos, les sucede esto una y otra vez. Comienzan a interceder, pero a mitad de camino, muchos se cansan y son pocos los que perseveran "hasta" obtener la victoria. La palabra clave es "hasta". Más adelante, aprenderemos cómo perseverar en la oración.

Si usted presenta un caso legal perfecto,
ganará el juicio. Pero si se desanima
y se va antes de que se dicte la sentencia,
el juez favorecerá al defensor.

Aun cuando los creyentes presentan casos perfectamente legales, el diablo es un abogado hábil, tramposo y ladrón. Él tratará de alargar el caso lo más posible, pondrá todas las objeciones de por qué Dios no debe dictar el veredicto a su favor. Él sabe que su caso está perdido, pero especula con el tiempo porque también sabe que si usted se cansa y abandona, él ganará el caso, aun sin derecho a hacerlo. Dios es tan justo con el diablo como lo es con el resto del mundo. Él es la justicia, la perfección de la equidad. Por eso, le va a permitir al enemigo ser oído y causar la gran demora. Éste es el conflicto en el mundo espiritual, hay una guerra en marcha y sólo ganará el que pelee hasta el final. ¡Debemos perseverar!

Ahora entendemos por qué la parábola presenta al juez, Dios, como si no le importara el caso de la viuda. Aparenta ser un juez injusto, pero ése no es su corazón. Por otro lado, no hay tantas personas que estén preparadas para hacer este tipo de intercesión. Por eso, al principio, Jesús pregunta "¿quién de vosotros?". Cada vez es menos la gente que se compromete a entrar en la guerra espiritual.

Ilustración: Un misionero americano fue a China a predicar de Jesús, pero después de cuatro años, nadie se había convertido; estuvo dos veces a punto de morir de una enfermedad. En otras dos ocasiones, fue deportado del país por su actividad misionera. Sin embargo, fue tan persistente que regresó, siguió trabajando, y en el sexto año, supo que Dios le daría la victoria. Un año más tarde, llegaron sesenta familias de una tribu a decirle que querían conocer a Dios. Todo ese tiempo, él había orado e intercedido con perseverancia, presentando su caso delante de la Corte celestial. Estas familias le dijeron que Dios se les había aparecido y querían ser salvas. De un día para el otro, tenía una iglesia de seiscientas personas. Una vez que alcanzó esta victoria, continuó orando y trabajando hasta tener hoy, casi doscientos cincuenta mil creyentes en esa tribu. ¡Un hombre que se empeñó hasta ganar la batalla legal! Tuvo la fe para perseverar, y legalmente, le fue dado el veredicto favorable en el octavo año, destronando los principados y las potestades que gobernaban sobre esa región.

¿Cuál es la conclusión de todo esto?

"...sin embargo,
porque esta viuda me es molesta,
le haré justicia,
no sea que viniendo de continuo,
me agote la paciencia."
Lucas 18.5

Lea lo que dice el juez injusto: *"...no sea que viniendo de continuo, me agote la paciencia".*

Ésta no es una guerra de velocidad sino de resistencia. Si usted no se da por vencido y continúa intercediendo, tocando la puerta hasta que se caiga, si sigue intercediendo hasta ver a sus hijos volver a casa, hasta ver ese negocio restaurado, Dios, el Juez justo, promete que a los que claman de día y de noche, aunque tarde en responderles, les hará justicia.

Amigo lector, si usted había dejado caer sus brazos, estaba desanimado porque, a pesar de haber orado mucho, no ha visto señales de cambio, yo le profetizo que pronto vendrá el veredicto del juez del Cielo. Siga clamando y siga creyendo "hasta" que Dios falle a su favor.

Ilustración: Yo tenía apenas un año de convertido cuando, de repente, sentí un gran peso, una carga por mi familia; porque en ese tiempo nadie en ella era cristiano. Entonces, decidí iniciar un ayuno de tres días, con oración e intercesión. Los dos primeros pasaron sin respuesta. Pero, al tercer día, comencé a reírme en el espíritu... Siendo nuevo en el Reino, eso para mí fue muy fuerte, no sabía qué era y me preguntaba qué me pasaba; ¡pensaba que estaba loco! Pero en ese momento, el Señor me dijo que mi familia estaba en control y que, en seis meses, todos serían salvos. Por largos años, mucha gente había orado por ellos, pero nunca habían querido oír de Dios. El Espíritu Santo me tomó a mí para continuar el trabajo que otros habían empezado. Ellos habían orado, pero Dios todavía no había dado el veredicto; y yo perseveré y oré "hasta" que alcancé el veredicto. A los seis meses, toda mi familia había recibido a Jesús como Señor y Salvador. Oré hasta lograr el veredicto, y se los quité al Infierno.

Muchas personas que están leyendo este libro, dicen: "Pastor, yo he estado orando demasiado y ya estoy cansado". Pídale al Espíritu Santo su gracia, su fortaleza, y siga intercediendo, siga orando que Dios ya prometió que nos hará justicia y nos dará la victoria.

CAPÍTULO V

Cómo atar y desarmar al hombre fuerte

En nuestra guerra con el diablo, tenemos que pasar por dos batallas, la legal y la militar. Según Jesucristo, la legal la puede pelear un individuo, o dos o tres, pero la batalla militar tiene su fuerza en el número; involucra una mayor cantidad de personas, no sólo una o dos. Usualmente, es dirigida por generales de intercesión preparados para moverse en dichos niveles. En este capítulo, veremos cómo se gana la batalla militar y quiénes son los personajes involucrados.

> *"21 Cuando el hombre fuerte armado guarda su palacio, en paz está lo que posee."*
> *Lucas 11.21*

¿Quién es el hombre fuerte?

El hombre fuerte es Satanás mismo, un principado local o una montaña demoníaca que se levanta contra quien quiera establecer el reino de Dios en un territorio. Cuando uno comienza a darle problemas al diablo, él levanta una montaña delante, y si uno no la remueve, no podrá ir más allá en su ministerio. Sin embargo, si la remueve, toda la región se abrirá para él.

Ilustración: Hay obras o ministerios que crecen sin problemas hasta que llegan a tener entre doscientas y mil personas, entonces se levanta una montaña –en la Biblia, una montaña siempre es figura de un principado demoníaco–. Cuando el pastor o líder del ministerio no sabe remover esa montaña, la obra se estanca, no va más allá; por eso necesitamos el tipo de fe del grano de mostaza y saber pelear las batallas legal y militar.

> *"20 Jesús les dijo: Por vuestra poca fe; porque de cierto os digo, que si tuviereis fe como un grano de mostaza, diréis a este monte:*

Pásate de aquí allá, y se pasará;
y nada os será imposible. ²¹Pero este género no sale
sino con oración y ayuno.
Mateo 17.20, 21

Los discípulos estaban contentos echando fuera demonios y sanando a los enfermos, pero se encuentran con una montaña, con un demonio que los detiene ahí. El obstáculo viene en un muchacho que está endemoniado y sufre de epilepsia. Yo quiero decirles algo poderoso a los creyentes que están leyendo este libro: Jesús dijo que este género no sale si no es con ayuno y oración. Pero Él no fue, en ese momento, a orar al monte durante tres días. Fue la vida de oración y ayuno que Jesús practicaba de continuo, la que lo llevó a un estado permanente de poder, fe y autoridad; de manera que siempre estaba listo para lidiar con esas montañas.

Una vida de oración y ayuno
nos lleva al nivel de autoridad y poder
al que nada más nos puede llevar.
Mientras usted tenga una vida de oración y ayuno,
será una amenaza permanente para el diablo.

Continuemos con el análisis de los personajes que intervienen en esta guerra.

²¹Cuando el hombre fuerte armado guarda su palacio,
en paz está lo que posee. ²²Pero cuando viene otro más
fuerte que él y le vence, le quita todas sus armas
en que confiaba, y reparte el botín.
Lucas 11.21, 22

¿Quién es "el otro" más fuerte?

El más fuerte fue Jesús, en los días de su carne, pero hoy es el Espíritu Santo usando la humanidad de la Iglesia. Otra interpretación es que el más fuerte es el reino de Dios que llega y desplaza al de las tinieblas.

¿Cómo se vence al hombre fuerte asentado en una persona, región o ciudad?

*"²²Pero cuando viene otro más fuerte que él y le vence,
le quita todas sus armas en que confiaba,
y reparte el botín."*
Lucas 11.22

En el libro de Mateo, Jesús habla de atar lo que en Lucas habla de vencer o atacar. Atar significa prohibir, cerrar, declarar ilegal o impropio. Esto implica que podemos declarar ilegal la operación de un demonio en nuestra vida u hogar, en nuestros hijos o negocio. Atarlo significa prohibirle, cerrarle la puerta, declarar ilegal su obra, declarar impropia su operación.

*"¹⁸De cierto os digo que todo lo que atéis en la tierra,
será atado en el cielo; y todo lo que desatéis en la tierra,
será desatado en el cielo."*
Mateo 18.18

Una forma de atacar al hombre fuerte es declarar quién es Jesús y lo que hizo en la cruz del Calvario; decretar su poder, su señorío y su dominio. Usted puede comenzar a abrir su boca y declarar la obra de Jesús y ordenarle al diablo que se vaya de su vida, familia, negocio y demás.

Ilustración: En cierta ocasión, fui a hacer decretos apostólicos a Uruguay para abrir los Cielos sobre la región. Recuerdo que llevamos la bandera del país y nos reunimos con varios pastores. En dicho caso, la misión que Dios me ordenó fue hacer guerra contra los principados y las potestades que gobernaban sobre Uruguay porque, hasta ese momento, era uno de los países menos evangelizados de Latinoamérica. Una vez terminada la guerra, supimos y creímos que la obra estaba hecha. Al poco tiempo, nos empezaron a llegar los mensajes de los pastores, por correo electrónico, diciendo que las iglesias comenzaban a despertar, a avivarse; Dios empezaba a visitar el país, y los milagros ocurrían aquí y allá. Se desató un pequeño rompimiento, producto de haber atado al hombre fuerte de esa ciudad. Claro, eso sólo fue el principio de algo más grande y los pastores y líderes deben continuar intercediendo "hasta" que haya un rompimiento total.

¿Por qué Jesús era el más fuerte en su tiempo?

El Espíritu Santo, el dedo de Dios que habitaba en Jesús, echó fuera a los demonios a través de Él. Es decir, hizo que Jesús fuera el más fuerte. Cuando vamos a la guerra, el Espíritu Santo en nosotros es más fuerte y nos hace ganar. Al darle lugar, legalizamos su intervención directa en el mundo de los hombres para pelear contra los principados y potestades de Satanás. La condición es que estemos disponibles para el Espíritu y hagamos lo que nos corresponde; así Dios podrá ejercer su parte. Tenemos que estar bajo su gobierno y ser justos como lo fue Jesús, tener su misma fe y, entonces, el Espíritu Santo podrá ser tan poderoso a través de nosotros como lo fue a través de Él.

La mayor parte de nuestras oraciones no deben ser contra el principado sino hacia el juez, pidiéndole a Él que ratifique su palabra. Hay una falsa enseñanza que se ha esparcido en nuestros días, que dice que es ilegal hacer guerra contra los principados y potestades. Pero yo le digo que no es ilegal, podemos realizarlo, pero con la condición de saber bien lo que estamos haciendo. La mayor parte de nuestras oraciones no deben dedicarse a reprender demonios, sino a exaltar a Jesucristo, para luego, hablarle a la montaña y declarar que se derriba en el nombre de Jesús. Hay un lugar para hablarle a los principados y a las potestades. Ese lugar lo señala el Espíritu Santo, por su conocimiento completo de todos los territorios y todo el accionar enemigo, sólo así tendremos todo el poder disponible respaldándonos.

Ilustración: Conozco de muchos hombres de Dios que salieron a ungir sus ciudades, sus regiones. Alquilaron una avioneta, reunieron un gran número de personas y comenzaron a hacer guerra espiritual contra principados y potestades sin la dirección del Espíritu Santo, y sin haber ganado la batalla legal. Un ejemplo de esto ocurrió aquí en Miami, cuando varios pastores que tenían iglesias crecientes, poderosas, comenzaron a ungir la ciudad sin dirección divina, sin una autoridad apostólica, y sin haber ganado la batalla legal. En poco tiempo, uno terminó muerto, otro en la cárcel y el otro divorciado; en cuanto al pueblo, también sufrió bajas y un fuerte impacto. Las consecuencias fueron lamentables. Ésas son las fatalidades de la guerra cuando no la peleamos correctamente. Generamos la furia de los principados y potestades demoníacas, y se desencadenan las tragedias y las bajas en el ejército de Dios.

> *"³Ahora, pues, haz pregonar en oídos del pueblo, diciendo: Quien tema y se estremezca, madrugue y devuélvase desde el monte de Galaad. Y se devolvieron de los del pueblo veintidós mil, y quedaron diez mil."*
>
> *Jueces 7.3*

Usted no puede ir a la guerra con dudas, con miedo, con temor, temblando y tartamudeando. Debe estar seguro, primero, de que ha ganado la batalla legal, y segundo, de que va dirigido por el Espíritu Santo y por un apóstol, cabeza de la ciudad. ¿Por qué un apóstol? Porque él sabe cómo dirigir la batalla. Dios le ha dado los dones de estratega del Reino y la autoridad necesaria para dirigir al pueblo en la batalla. No se necesita un apóstol para ganar la batalla legal, pero sí para pelear con éxito la militar.

La Biblia dice que la batalla se hace con sabiduría; así evitaremos las fatalidades de guerra.

Ilustración: Cuando iniciamos nuestro ministerio en esta ciudad, hace unos doce años atrás, Miami era llamada el "Cementerio de los pastores". Aquí cualquier iglesia llegaba a dos mil quinientas personas, como sucedió con La Catedral del Pueblo, o a un máximo de tres mil y, después, algo sucedía. El pastor caía en pecado o algo malo acontecía, porque unos brujos de África, de Haití y de Cuba se habían unido en pacto para que Miami fuera el "Cementerio de los pastores".

Cuando vino el tiempo de establecer nuestro ministerio, empezamos a hacer guerra contra este pacto. Perseveramos por largo tiempo sin ver resultados. Iniciamos el ministerio con muchas dificultades, pero Dios fue fiel. La iglesia empezó a crecer hasta llegar a unas, más o menos, dos mil quinientas personas. Un domingo por la noche, nos metimos en guerra, y literalmente escuché, en el mundo espiritual, un sonido como cuando se cambian las velocidades de un vehículo, de primera a segunda o tercera. Entonces, Dios me habló y me dijo: "La maldición del 'Cementerio de los pastores' ha sido rota". Luego, un profeta, sin saber nada de esto, vino y confirmó que la maldición había sido quebrantada. A partir de ese momento, la iglesia pasó a otro nivel de crecimiento, y ahora tiene cuatro o cinco veces más gente que la que había en esa época. Somos un ministerio impactante, y las demás iglesias en Miami también están creciendo. Todavía no hemos tomado la ciudad, pero hemos abierto una brecha en los aires, en los Cielos de Miami, a través de la cual Dios ha comenzado a derramar su bendición. ¡Lo que estamos viendo en nuestra iglesia, es poderoso!

> *[22]Pero cuando viene otro más fuerte que él y le vence, le quita todas sus armas en que confiaba, y reparte el botín."*
> *Lucas 11.22*

Otra traducción dice: "le ataca, le ata, le quita todas las armas en que confiaba y reparte el botín". Esto es la batalla militar: una lucha cuerpo a cuerpo con el enemigo, la cual –como es espiritual– requiere de conocimiento y estrategias espirituales. Si primero no desarmamos al enemigo, si no lo atacamos y atamos, si no le quitamos el derecho legal, ninguna batalla funcionará.

Ilustración: Yo estuve en Nicaragua, Dios me envió a este país con instrucciones claras. Me dijo: "Vas a ir a abrir una brecha en los Cielos de Nicaragua". Yo me fui de aquí sin entender con exactitud la magnitud de lo que Dios me estaba enviando a hacer. Cuando llegué allá, me habló nuevamente, y más tarde me volvió a confirmar sus palabras por medio de un profeta, diciéndome que había un espíritu de Muerte operando en la nación. En Nicaragua, hubo mucho derramamiento de sangre, la cual clamaba venganza delante de Dios, como resultado de una guerra de guerrillas que hubo durante la época de los Sandinistas. La última noche nos reunimos con los pastores; les prediqué y llamé a uno de ellos para que guiara a todos en una oración de intercesión pidiendo perdón por el derrama-miento de sangre inocente, de niños, de mujeres que fueron asesinados en aquella guerra, pues ése era el derecho legal que tenía el espíritu de Muerte sobre el país. En medio de la oración, la presencia de Dios cayó; comenzamos a gemir... los pastores y la gente, pidiendo perdón. Esto le quito el derecho legal al espíritu de Muerte. ¡Esa noche obtuvimos una victoria!

Dios, también, me había dicho que, cuando fuéramos a la cruzada –a la cual asistieron ciento veinte mil personas en la plaza La Fe de Managua–una de las señales que vería de que el poder del espíritu de Muerte había sido roto, era que muchas personas con enfermedades terminales, desahuciadas por los médicos, serían sanadas esa noche. Y, efectivamente, tuvimos abundantes casos: un hombre con mal de Parkinson, otro con lupus, otro cuya enfermedad no recuerdo, pero supe que los doctores lo habían mandado a morir a su casa, y así sucesivamente. Una inmensa cantidad de personas fue sanada esa noche; especialmente, las que tenían enfermedades terminales. Dios rompió el poder del espíritu de Muerte porque le habíamos quitado el derecho legal por medio del arrepentimiento y por medio de atar los princi-pados y las potestades que gobernaban sobre la nación.

¿Cuáles son las armas en las cuales el enemigo confía?

1. El pecado o cualquier forma de desobediencia

*"30 No hablaré ya mucho con vosotros;
porque viene el príncipe de este mundo,
y él nada tiene en mí."*
Juan 14.30

Jesús no dijo esto porque Él fuera el hijo de Dios, sino porque era obediente al Padre como hombre. Su humanidad era la impenetrable para el diablo, no su deidad.

*"31 Mas para que el mundo conozca
que amo al Padre,
y como el Padre me mandó, así hago..."*
Juan 14.31

En este verso, Jesús nos revela la razón por la cual el príncipe de este mundo no tiene nada en Él; ésta es que caminaba en perfecta obediencia al Padre, haciendo todo lo que el Padre le mandaba. Si usted vive del mismo modo, el diablo tampoco lo podrá atacar. Sin embargo, no se puede poner a atar al diablo si está en desobediencia, si lleva una vida de mentira, de miedo, de incredulidad, de inmoralidad, etcétera. Si no lo desarma, no lo puede atar.

2. El miedo o el temor

Ésta es una de las armas más comunes que utiliza el enemigo para detener el avance del cristiano. Hoy en día, la tercera parte de la gente en la Iglesia vive en miedo y en temor, y el más común es el temor a la muerte. Así no se puede atar a Satanás. Para eso, Dios nos da la promesa de que seremos libres del miedo.

*"73 Del juramento que hizo a Abraham nuestro padre,
que nos había de conceder 74 que, librados de nuestros*

enemigos, sin temor le serviríamos..."
Lucas 1.73, 74

Vivir sin temor es parte de nuestra herencia, la cual nos viene del tiempo de Abraham.

Ilustración: Recuerdo que cuando vine a los Estados Unidos, siendo muy joven, era muy miedoso. Tenía miedo a la autoridad, miedo a la oscuridad; tenía tantos temores y tantos miedos que, un día, me cansé y le pedí a Dios que me hiciera libre. Renuncié al espíritu de temor, y su poder sobre mi vida se cortó.

"7Porque no nos ha dado Dios espíritu de cobardía, sino de poder, de amor y de dominio propio."
2 Timoteo 1.7

Ilustración: Hace algunos años, durante un viaje misionero que hicimos al país de Honduras, mi equipo y yo fuimos asaltados. Me pusieron una pistola en la cabeza por casi 45 minutos, –tiempo suficiente para probar si tenía o no miedo a la muerte–. Reconozco que, por un momento, pasaron muchos pensamientos por mi mente (mis hijos, mi esposa, la iglesia, etcétera), pero de inmediato comencé a orar en el espíritu, y supe en mi corazón que no era el tiempo de morir. Continué orando, mientras los ladrones le robaban las joyas y el dinero a todo el grupo, hasta que me sobrevino una paz interior que me llevó a la siguiente conclusión: "si es mi tiempo, muero con Jesús, voy al Cielo, y Dios cuida de mi familia. Si no es mi tiempo, nada me va a pasar. Señor, te entrego toda mi vida y reconozco que tú tienes el control de todo". Finalmente, todos salimos ilesos, no hubo pérdidas humanas, sólo algunas materiales. ¡Dios nos guardó, nos protegió!

Ahora, después de haber atravesado esta experiencia, ya no tengo miedo de ir a cualquier lugar del mundo donde Él me envíe, aunque sea peligroso. Cuando usted toma la decisión de entregar toda su vida vieja y temporal a Dios, entonces, en el momento de la prueba, su corazón está preparado y ya no siente temor de nada. El temor a la muerte es la raíz de todos los temores; si usted vence éste, los demás serán fácilmente eliminados. Hoy puedo decir que no fuimos tocados, pero Dios permitió aquel suceso para derribar el último hombre fuerte en mi vida, el temor a la muerte. A partir de ese día, puedo ir a cualquier lugar del mundo sin miedo, pues sé que mi vida está en sus manos; y no me iré de esta Tierra ni un minuto antes ni un minuto después de lo que Él haya dispuesto.

3. La acusación, difamación y conspiración

Cuando el enemigo no encuentra una puerta abierta en nuestra vida —porque estamos caminando en obediencia a Dios—, su último recurso, su última arma en la cual confía para detenernos, es la difamación, las falsas acusaciones. Esto es comparable a matar el carácter de un individuo.

La credibilidad de una persona
es la luz que vence las tinieblas,
y el enemigo te difama para destruir tu credibilidad;
por eso es tan poderoso el buen testimonio.

La acusación, la difamación y la conspiración vienen para distraernos de nuestro propósito, desviarnos de la voluntad de Dios, detener nuestro avance, y evitar que recibamos el milagro de parte de Dios. El enemigo usa la acusación para provocar discordia entre los hermanos. Ésta es una de sus armas. Usted debe estar alerta y tomar una acción militar; porque si no, los va a dividir.

Ilustración: Personalmente, he recibido mucha difamación, falsas acusaciones, aquí en la ciudad de Miami; y lo más triste es que no han venido de los medios seculares o de los inconversos, sino de los hermanos, de la Iglesia. Hubo hombres y mujeres que estuvieron un tiempo conmigo, se sentaron a mi mesa, bebieron, comieron conmigo, y después se fueron, y me traicionaron como Judas lo hizo con Jesús. Otros, simplemente, tienen celos y envidia, como la tuvo Saúl de David, porque Dios me ha bendecido; no lo pueden tolerar. Como dice en Eclesiastés, la excelencia del vecino provoca la envidia del prójimo. En este caso, mi crecimiento y el de todo nuestro ministerio han provocado celos, contiendas y difamaciones; pero el enemigo no ha encontrado nada en mí, porque mi actitud siempre fue y es bendecir y orar por aquellos que me difaman o me persiguen, nunca entrar en el mismo juego porque, de hacerlo, caería en la trampa del enemigo. Y esto mismo es lo que le enseño al pueblo constantemente. A pesar de que Dios me ha dado acceso a la televisión y a la radio, nunca he usado estos medios para defenderme, sino únicamente para predicar el evangelio y exaltar el nombre de Jesucristo.

4. La división en medio del pueblo de Dios

> *"17 Mas él, conociendo los pensamientos de ellos, les dijo: Todo reino dividido contra sí mismo, es asolado; y una casa dividida contra sí misma, cae."*
> Lucas 11.17

Si entramos en contiendas, chismes y divisiones, estamos trabajando a favor del principado y lo fortalecemos, lo hacemos poderoso. Pero si quitamos la división de nuestro medio, nos hacemos fuertes y él débil. Cuando el pueblo se junta en unidad, en la misma mente, actitud y propósito, con la misma pasión y fuego, entonces el poder de Dios cae sobre él.

5. La incredulidad

La incredulidad no es una emoción, la incredulidad es un espíritu que le impide a la gente creer, aun cuando se le presentan las evidencias físicas delante de sus ojos. Es una actividad demoníaca en contra de la obra de Dios y no sólo una ausencia de fe.

Mientras usted dude de las promesas de Dios, estará haciendo fuerte al enemigo. Pero cuando deje de dudar, lo desar-mará, le quitará un arma en la cual él confía. Mientras camine en incredulidad, siempre el diablo será más fuerte que usted. Pero si camina en fe, él será más débil. Debe renunciar al espíritu de incredulidad y ser libre de su influencia.

> *⁵Y no pudo hacer allí ningún milagro, salvo que sanó a unos pocos enfermos, poniendo sobre ellos las manos. ⁶Y estaba asombrado de la incredulidad de ellos. Y recorría las aldeas de alrededor, enseñando."*
> *Marcos 6.5, 6*

La incredulidad es la guillotina de la fe. Los lugares adonde yo he ido y no ha habido milagros, ha sido por la operación de este espíritu del Infierno en medio de la gente. Por lo tanto, ¡tenemos que destruir y echar fuera al espíritu de incredulidad!

6. **La apatía o la pasividad**

Este espíritu es un arma mortal en la cual el enemigo confía; es un arma muy sutil que causa letargo en el pueblo. Es usada por el enemigo para detener el accionar del ejército de Dios; su propósito es que la gente pierda la pasión por Dios y por su reino. La apatía viene como una sábana que cubre y da sueño al pueblo.

Jesús decía: *"¹⁷...El celo de tu casa me consume." Juan 2.17* Eso mismo debe haber en nosotros, celo y pasión por el Reino y por liberar a los cautivos de Satanás. Una vez que atacamos, desarmamos y atamos al hombre fuerte, le podemos quitar lo que posee y liberamos a la gente que tiene cautiva.

Hoy en día, en los Estados Unidos y en otras naciones del mundo, los creyentes viven el cristianismo como un *hobby* o una religión. Si les quitaran a Cristo, sólo les afectaría en las dos horas que dedican el domingo para ir a la iglesia. Pero para nosotros, Cristo es el Todo.

El espíritu de pasividad ha venido para quitarnos la pasión por Dios, la pasión por buscar su reino. Es más, hoy en día, se ve como un fanatismo el hecho de que alguien busque a Dios en oración, en ayuno e intercesión, con todo su corazón. La persona sedada por este espíritu, no puede luchar, no tiene ganas de levantarse, no tiene deseos de servir a Dios, pierde las ganas de vivir. Pero una vez que es libre, nada la puede detener de hacer la voluntad de Dios y derrotar al enemigo.

Ilustración: Conozco a muchos cristianos que están sedados por el espíritu de apatía, el cual les quitó la pasión y el deseo, el anhelo grande de buscar a Dios y su reino. Hoy mismo, esa pasión se cambió por buscar riquezas, buscar posición, buscar fama; las personas perdieron el primer amor por Dios, al igual que ese anhelo y pasión por estar en su presencia.

Amigo lector, amigo creyente, si usted está leyendo esto, yo le animo a renunciar al espíritu de apatía, y a buscar el reino de Dios con todo su corazón. Eche fuera al espíritu de pasividad y comience a servir a su Dios con toda la pasión de antes, y aun más.

7. El engaño y la mentira

> *"44 Vosotros sois de vuestro padre el diablo,*
> *y los deseos de vuestro padre queréis hacer.*
> *Él ha sido homicida desde el principio,*
> *y no ha permanecido en la verdad, porque no hay*
> *verdad en él. Cuando habla mentira, de suyo habla;*
> *porque es mentiroso, y padre de mentira."*
> *Juan 8.44*

Mientras el diablo engaña la mente de la gente, mantiene su poder. Es más, es tanto el poder del engaño, que hay gente que vive y muere por una mentira.

Ilustración: Muchas personas creen que porque les han enseñado algo durante toda la vida, ésa es la verdad, y usted les muestra, les enseña la Biblia, incluso, Dios hace milagros e n sus vidas, en sus hijos, pero ellas no cambian su creencia. Están engañadas por un espíritu de mentira. En el mundo, hay miles de sectas engañando a las personas, incluyendo a muchos cristianos incautos. ¡Tenemos que derribar al espíritu de engaño y mentira!

> *"22...y reparte el botín".*
> *Lucas 11.22*

Cuando le quitamos, al hombre fuerte, todas las armas en que confiaba, las cuales son el pecado, la desobediencia, el miedo, la incredulidad, la acusación, la difamación, la división, la apatía, la pasividad, entonces podemos atarlo y repartir el botín.

¿Qué es el botín?

El botín son las miles de personas que el enemigo tiene atadas, los recursos financieros que ha robado, los edificios, las tierras, las almas, las propiedades que ha tomado ilegalmente de manos de los creyentes. Tenemos que levantarnos con el poder del Espíritu Santo, desarmar al hombre fuerte con la autoridad que hemos recibido por la resurrección de Cristo, atarlo y echarlo de nuestra vida, del negocio, de la familia. ¡Debemos atar al hombre fuerte y tomar el botín!

Usted necesita aprender a orar y a guerrear hasta alcanzar el rompimiento; debe perseverar en la intercesión, aun cuando vea que nada ocurre. Siga el ataque, incluso, cuando el enemigo ya esté en huida; después de ver la primera victoria, debe intensificar la intercesión. En la batalla militar, hay una gran fuerza en los números. El mejor formato es orar unánimes, de acuerdo, en compañía de hombres, en compañías proféticas y con el Espíritu Santo como guía. Mi intención es animar a aquellos que quizás han tenido su primera victoria. ¡Intensifique su intercesión! Si usted estaba orando veinte minutos, empiece a orar treinta, una hora… siga orando más tiempo hasta que obtenga la victoria.

Una vez que le quitamos todas las armas en que confiaba, el enemigo queda totalmente vulnerable, y entonces, lo podemos poner bajo nuestros pies. Nosotros mismos le damos el poder al diablo si lo dejamos operar con las armas en que confía. Pero si se las quitamos, queda sin ningún poder.

Para librar la batalla legal, necesitamos una o dos personas, pero para ganar la batalla militar, necesitamos una compañía de individuos, con un general que los guíe en la Tierra, un apóstol, y el Espíritu Santo en los Cielos. El apóstol es quien da las instrucciones a la compañía de gente, indica el lugar propicio, dice lo que se va a orar, sabe qué tipo de intercesores enviar, hace una cartografía, un mapeo espiritual del lugar. Él puede llevar a cabo todo esto porque es guiado por el Espíritu Santo de Dios.

> "6 …y estando prontos para castigar
> toda desobediencia,
> cuando vuestra obediencia sea perfecta."
> 2 Corintios 10.6

El diablo nunca ha sido problema para Dios; la gente es la que le causa los problemas. Muchos son rebeldes, por eso, el diablo tiene el derecho legal otorgado por su desobediencia.

> "20 Y el Dios de paz aplastará en breve a Satanás
> bajo vuestros pies. La gracia de nuestro
> Señor Jesucristo sea con vosotros."
> Romanos 16.20

En Génesis, la Palabra nos dice que la simiente de la mujer –tipología de Jesús– pisaría la cabeza de la serpiente, Satanás. Eso significa que le quitaría todo poder y autoridad, pero no que lo destruiría; la encargada de esto sería la Iglesia. Cuando Jesús vino a la Tierra, le quitó a Satanás la autoridad gubernamental, el poder para reinar, y se la dio a la Iglesia para destruirlo, para pisarlo y ponerlo bajo la planta de sus pies. La obediencia de un pueblo es la clave para derrotar al enemigo.

Nuestra obediencia es tan poderosa,
que nos lleva a aplastar a Satanás bajo nuestros pies,
porque tenemos un Cristo poderoso.

¿Cuáles son algunas de las actividades de la batalla militar?

1. Alabanzas, danzas, banderas, etcétera

"Cantad a Jehová cántico nuevo;
su alabanza sea en la congregación de los santos.
²Alégrese Israel en su Hacedor;
los hijos de Sion se gocen en su Rey.
³Alaben su nombre con danza; con pandero y arpa
a él canten. ⁴Porque Jehová tiene contentamiento
en su pueblo; hermoseará a los humildes
con la salvación. ⁵Regocíjense los santos por su gloria,
y canten aun sobre sus camas. ⁶Exalten a Dios con sus
gargantas, y espadas de dos filos en sus manos..."
Salmos 149.1-6

2. Decretos y juicios para atar al enemigo

Cuando atamos al hombre fuerte, entonces es más fácil que la gente sea salva.

Un principado sobre una ciudad o una nación, influencia a la gente de dos formas:

- En su manera de pensar
- En su manera de actuar

> *"⁷Para ejecutar venganza entre las naciones, y castigo entre los pueblos; ⁸Para aprisionar a sus reyes con grillos, y a sus nobles con cadenas de hierro; ⁹para ejecutar en ellos el juicio decretado; gloria será esto para todos sus santos. Aleluya"*
>
> *Salmos 149.7-9*

Este salmo describe el tipo de alabanza y adoración de naturaleza militante. Por eso hacemos las noches de alabanza y guerra en nuestra iglesia. El propósito principal de ellas es exaltar a Jesús; casi no se reprende a los demonios, pues estamos más ocupados en exaltar a Cristo y establecer su trono. Después, ordenamos y atamos al hombre fuerte o al principado.

En este salmo, se habla de danzar al son de todos los instrumentos musicales; habla de gozarse, no es una actividad miserable o pesada, se trata de aprisionar y atar reyes, demonios, etcétera. La alabanza tiene una connotación militar, de guerra.

3. Instrumentos musicales

> *"²⁹Vosotros tendréis cántico como de noche en que se celebra pascua, y alegría de corazón, como el que va con flauta para venir al monte de Jehová, al Fuerte de Israel. ³²Y cada golpe de la vara justiciera que asiente Jehová sobre él, será con panderos y con arpas; y en batalla tumultuosa peleará contra ellos."*
>
> *Isaías 30.29 y 32*

Una vez que el juicio ha sido ganado por un ser humano, Dios puede desatar legalmente legiones de ángeles para trabajar con los hombres y poner en vigor la orden de la Corte celestial. Estos versos en el libro de Isaías, hablan del ejército de Siria, pero tienen una amplia aplicación. Hay instrumentos musicales que pueden usarse para golpear y destruir los principados y las potestades del enemigo; éstos se denominan instrumentos musicales de guerra.

4. Los ángeles de Dios

Usted, ¿prefiere ir a la guerra con legiones de ángeles o prefiere ir solo? Para que los ángeles se envuelvan en la batalla primero debe haber un hombre que se involucre.

> *"²¹Pero yo te declararé lo que está escrito en el libro de la verdad; y ninguno me ayuda contra ellos, sino Miguel vuestro príncipe."*
> Daniel 10.21

En la historia de Daniel, aprendimos dos principios: desatar ángeles y establecer la palabra de Dios. El hecho de que Dios haya dicho algo, no significa que vaya a suceder de inmediato, a menos que un hombre ore para que la palabra de Dios se manifieste en la Tierra. En la batalla militar, hay fortaleza en los números; la victoria se logra con la oración corporal, dirigida por los generales de intercesión. La batalla militar se libra yendo alrededor de la ciudad, a los sitios geográficos donde la actividad demoníaca es más intensa.

¿Cuáles son los lugares geográficos o sitios de la ciudad adonde vamos a ir para librar la batalla militar?

La batalla legal se puede librar con una o dos personas en cualquier lugar físico, pues la Corte celestial es espiritual; pero la batalla militar debe llevarse a cabo donde están asentados los ejércitos del enemigo. Estos lugares son:

❖ Los templos de adoración a otros dioses. Por ejemplo, templos masónicos, budistas, etcétera.

❖ Los sitios donde se ha derramado sangre violentamente, donde ocurrieron guerras o masacres, etcétera.

❖ Los sitios de adoración demoníaca. Esto es donde se ofrecen sacrificios, y donde se practica la brujería, la santería, el ocultismo y los ritos demoníacos.

❖ Los sitios de inmoralidad sexual y asesinatos como *Sex shops* o clínicas de aborto, respectivamente.

La batalla se libra enviando intercesores experimentados a estos sitios para que oren de acuerdo, y hagan actos proféticos dirigidos por el Espíritu Santo y comandados por un apóstol.

Dios nos manda a pelear la batalla militar juntos

"30 ¿Cómo podría perseguir uno a mil, y dos hacer huir a diez mil, si su Roca no los hubiese vendido, y Jehová no los hubiera entregado?"
Deuteronomio 32.30

En el ejército natural, el general crea las estrategias y el plan de batalla. Les comunica a las tropas adónde deben ir y lo que deben hacer. La gente, los soldados, tiene que seguir las órdenes de su general espiritual. Los generales de intercesión son una pieza fundamental en esta guerra. ¡Tenemos que clamar para que se levanten más de ellos a dirigir nuestros servicios de oración! Ser un general de intercesión lleva más preparación que ser un predicador o un maestro. Yo no sólo estudio la Palabra, sino que también ayuno y busco las estrategias divinas para las tropas, y Dios me da el plan de batalla. Es importante pedirle al Espíritu Santo que nos dé palabras de ciencia para atar al enemigo y ganar la batalla, y que nos guíe, como hablamos anteriormente, a hacer actividades como cánticos de guerra y actos proféticos.

El secreto es continuar avanzando hasta que la posición sea ganada, orando con persistencia, sin detenerse. La intercesión debe ser como una infección que, al recorrer el torrente sanguíneo, toma todo el cuerpo. Tenemos que contraer la infección de orar sin desmayar; contraer una pasión que no tiene descanso ni da tregua al enemigo. Yo tengo el mandato de Dios de impartirle un espíritu de intercesión a cada creyente. Por eso, declaro que un virus glorioso de intercesión vendrá sobre cada lector, una carga, una habilidad para orar y vencer en el mundo espiritual y en el natural.

CAPÍTULO VI

Dios busca un hombre disponible

Dios sólo puede interferir en los asuntos de este mundo por medio de un hombre; y cuando digo un hombre, me refiero a cualquier ser humano, sea del género masculino o del femenino. Ésta es la única manera de no violar su justicia. La razón es que, en el principio, Dios le dio al hombre dominio y control, pero debido a la rebelión y caída de Adán, Satanás entró a gobernar la Tierra, manipulando al hombre para establecer su reino. Él también está sujeto a la capacidad de un ser humano para operar en este planeta. Antes de venir a Jesús, nosotros pensábamos que éramos libres, pero en realidad estábamos sirviendo a Satanás sin darnos cuenta.

> *"⁴Digo: ¿Qué es el hombre, para que tengas de él memoria, y el hijo del hombre, para que lo visites?*
> *⁵Le has hecho poco menor que los ángeles, y lo coronaste de gloria y de honra. ⁶Le hiciste señorear sobre las obras de tus manos; todo lo pusiste debajo de sus pies..."*
> *Salmos 8.4-6*

Dios es todopoderoso y odia la iniquidad. Él podría venir en cualquier momento y borrar al diablo del Universo y de la faz de la Tierra; pero al mismo tiempo, tendría que juzgar también al hombre, el cual está sirviendo a Satanás de manera consciente o inconsciente.

> *"¹Y él os dio vida a vosotros, cuando estabais muertos en vuestros delitos y pecados, ²en los cuales anduvisteis en otro tiempo, siguiendo la corriente de este mundo, conforme al príncipe de la potestad del aire, el espíritu que ahora opera en los hijos de desobediencia, ³entre los cuales también todos nosotros vivimos en otro tiempo en los deseos de nuestra carne,*

> *haciendo la voluntad de la carne y*
> *de los pensamientos, y éramos por naturaleza hijos de ira,*
> *lo mismo que los demás. ⁴Pero Dios, que es rico en*
> *misericordia, por su gran amor con que nos amó..."*
> *Efesios 2.1-4*

Si Dios castiga al diablo, éste dirá: "Si me castigas a mí, también tienes que hacerlo con el hombre, porque él está en mi reino". Si Dios quiere salvar al mundo, tiene que retener el juicio por un período de tiempo mientras el hombre sale del reino de Satanás por medio del precio pagado por Jesús en la Cruz.

Mientras el tiempo de gracia para la salvación esté en vigencia, Dios no puede condenar al diablo para siempre, pero sí puede obrar a través de un hombre que esté disponible para el Espíritu Santo y quiera destruir las obras del diablo. Una vez que encuentra a ese hombre, puede liberar al pueblo para establecer su reino y su voluntad.

> *"³⁰Y busqué entre ellos hombre que hiciese vallado y que*
> *se pusiese en la brecha delante de mí, a favor de la tierra,*
> *para que yo no la destruyese; y no lo hallé."*
> *Ezequiel 22.30*

La palabra **brecha** significa una rotura en una barrera (como una pared, cerco o línea militar de defensa); una posición vulnerable. La frase *pusiese en la brecha* significa reparar los portillos, reparar aquellas áreas, huecos hechos en la muralla de protección espiritual de nuestras ciudades y vidas. En el Antiguo Testamento, las ciudades estaban cerradas con enormes paredes. Cuando los enemigos querían atacar, se hacercaban y buscaban un lugar de esa pared donde pudieran hacer una brecha, y comenzaban a golpear. Por eso era importante que los atalayas estuvieran vigilando, para que avisaran cuando vieran cerca al enemigo; y de ese modo, evitaran la apertura de brechas en el muro. Si el enemigo lograba abrir la brecha, el atalaya debía ser quien se parara en ella y reparara el muro para evitar que el enemigo entrara. Allí está la razón de que Dios siempre esté buscando un hombre o una mujer que le preste su humanidad para bendecir al resto.

¿Cómo se cubren las brechas en el mundo espiritual?

Las brechas abiertas en los muros de protección se cubren con la intercesión.

Ilustración: Mi esposa, los ministros y los intercesores de la iglesia oran continuamente por mí porque, si en algún momento hubiera un pecado en mi vida, éste sería una brecha abierta para que el enemigo me ataque. Todos fallamos, cometemos pecado delante de Dios, ya sea de comisión o de omisión, pues somos humanos. Cuando esto me ha sucedido, y he tenido brechas abiertas en mi vida, el enemigo no me ha tocado porque los intercesores y mi amada esposa me han cubierto en intercesión, han cerrado la brecha. Cada uno de nosotros necesita un intercesor que ore, que lo cubra y que cierre esas brechas.

El clamor de Dios siempre ha sido que haya un vallado y un intercesor parado en la brecha para interceder a favor de la Tierra y evitar su destrucción. Los intercesores son los que están pidiéndole a Dios, día y noche, que tenga misericordia de este mundo y de nuestras ciudades. Damos gracias a Dios por todos esos intercesores.

Daniel, un intercesor que se paró en la brecha

En el Antiguo Testamento, Daniel fue llevado cautivo por el rey Nabucodonosor cuando tenía entre quince y diecisiete años de edad. Él pudo cambiar la historia, gracias a la perseverancia de sus oraciones; causó que la palabra de Dios se cumpliera en la Tierra, pues conocía su responsabilidad de orar. Hay muchos profetas que han dicho muchas profecías acerca de su nación, acerca de los Estados Unidos y otras naciones, pero si no oramos, esto no va a suceder.

Como dijimos en el capítulo anterior, de la vida de Daniel, podemos aprender dos principios: Desatar ángeles y establecer la palabra de Dios. El hecho de que el Señor haya profetizado algo, no significa que eso vaya a suceder automáticamente, a menos que un hombre ore para causar que su palabra se manifieste en la Tierra. Veamos cómo sucede esto:

> *"En el año primero de Darío hijo de Asuero, de la nación de los medos, que vino a ser rey sobre el reino de los caldeos, ²en el año primero de su reinado, yo Daniel miré atentamente en los libros el número de los años de que habló Jehová al profeta Jeremías, que habían de cumplirse las desolaciones de Jerusalén en setenta años. ³Y volví mi rostro a Dios el Señor, buscándole en oración y ruego, en ayuno, cilicio y ceniza."*
> *Daniel 9.1-3*

Dios le habló y Daniel no dijo: "Yo me voy a sentar a esperar"; por el contrario, él comenzó a orar y a establecer esa promesa. Daniel conocía el libro de Jeremías y estaba hablando de él.

> *"Toda esta tierra será puesta en ruinas y en espanto; y servirán estas naciones al rey de Babilonia setenta años."*
> *Jeremías 25.11*

También, Daniel conocía las profecías de Isaías, donde Dios llama a un hombre y lo nombra "mi pastor". Veamos quién fue ese hombre:

> *"²⁶Yo, el que despierta la palabra de su siervo, y cumple el consejo de sus mensajeros; que dice a Jerusalén: Serás habitada; y a las ciudades de Judá: Reconstruidas serán, y sus ruinas reedificaré; ²⁷que dice a las profundidades: Secaos, y tus ríos haré secar; ²⁸que dice de Ciro: Es mi pastor, y cumplirá todo lo que yo quiero, al decir a Jerusalén: Serás edificada;*

y al templo: Serás fundado."
Isaías 44.26-28

Dios llama por nombre a Ciro, 150 años antes de que naciera. Ciro no fue alguien que conociera a Dios, pero levantaría un poderoso reino que quebrantaría las puertas de bronce, de cerrojos y de hierro.

"Así dice Jehová a su ungido, a Ciro, al cual tomé yo
por su mano derecha, para sujetar naciones delante de él
y desatar lomos de reyes; para abrir delante de él puertas,
y las puertas no se cerrarán:
² Yo iré delante de ti, y enderezaré los lugares torcidos;
quebrantaré puertas de bronce,
y cerrojos de hierro haré pedazos;
³ y te daré los tesoros escondidos, y los secretos muy
guardados, para que sepas que yo soy Jehová,
el Dios de Israel, que te pongo nombre.
⁴ Por amor de mi siervo Jacob, y de Israel mi escogido,
te llamé por tu nombre;
te puse sobrenombre, aunque no me conociste.
⁵ Yo soy Jehová, y ninguno más hay; no hay Dios
fuera de mí. Yo te ceñiré, aunque tú no me conociste..."
Isaías 45.1-5

Ciro fue una figura política, no era un religioso ni conocía a Dios, pero fue su instrumento para restaurar al pueblo de Israel. Una vez más, Dios buscó a un hombre que se parara en la brecha y, en este caso, levantó a Ciro para que llevara la restauración a Jerusalén, y que de una vez, se reedificaran las ruinas de la ciudad.

Daniel comenzó a leer esta profecía acerca de que Dios iba a restaurar a Jerusalén. Cuando esos años se cumplieron, vino Ciro y tomó el trono de Persia, y después conquistó Siria. Todavía no era rey de Babilonia, donde Daniel estaba como esclavo. Finalmente, en el año 539 aC, Babilonia fue ocupada por el rey de Siria y vino a ser parte de este Imperio. Entonces,

Daniel supo que era el tiempo; pero para cumplirlo, tuvo que orar tres veces al día.

> *"⁶Entonces estos gobernadores*
> *y sátrapas se juntaron delante del rey, y le dijeron así:*
> *¡Rey Darío, para siempre vive!*
> *⁷Todos los gobernadores del reino, magistrados,*
> *sátrapas, príncipes y capitanes han acordado*
> *por consejo que promulgues un edicto real*
> *y lo confirmes, que cualquiera que en el espacio de treinta*
> *días demande petición de cualquier dios u hombre*
> *fuera de ti, oh rey, sea echado en el foso de los leones.*
> *⁸Ahora, oh rey, confirma el edicto y fírmalo,*
> *para que no pueda ser revocado, conforme a la ley*
> *de Media y de Persia, la cual no puede ser abrogada.*
> *⁹Firmó, pues, el rey Darío el edicto y la prohibición.*
> *¹⁰Cuando Daniel supo que el edicto había sido firmado,*
> *entró en su casa, y abiertas las ventanas de su cámara*
> *que daban hacia Jerusalén,*
> *se arrodillaba tres veces al día, y oraba*
> *y daba gracias delante de su Dios,*
> *como lo solía hacer antes."*
> *Daniel 6.6-10*

Esto no se logra teniendo sólo comunión con Dios y dejando que Él lo haga todo; se trata de una comunión combinada con acción.

Hay cientos de palabras proféticas sobre los Estados Unidos, sobre otras naciones del mundo, sobre las ciudades, sobre nuestras vidas, nuestros hijos, la iglesia, nuestros negocios, pero no ocurrirán automáticamente. Como iglesia, no podemos ganar el 12% de la ciudad, cruzando los brazos y dándole a Dios todas las excusas del mundo ("yo trabajo, tengo hijos, no tengo tiempo").

No vamos a tomar nuestra ciudad ni la herencia que nos pertenece si Dios no encuentra a esos hombres disponibles. Él está llamando seres humanos que oren, que hablen y que prediquen a los inconversos; está buscando hombres que amen la justicia y odien la iniquidad.

La iglesia tiene que levantarse en guerra y atar al enemigo.

Cuando Daniel oró, Ciro desató al pueblo de Israel para que fuera a reedificar Jerusalén. Por cuatro años y medio, a pesar de una gran oposición, sentaron el fundamento del templo y comenzaron el proceso de la restauración. Pero, de repente, todo se detuvo y el pueblo comenzó a decir que no era tiempo de edificar la casa de Dios; y en cambio, se dedicaron a edificar casas lindas, cómodas, artesonadas para ellos y sus familias.

"En el año segundo del rey Darío, en el mes sexto, en el primer día del mes, vino palabra de Jehová por medio del profeta Hageo a Zorobabel hijo de Salatiel, gobernador de Judá, y a Josué hijo de Josadac, sumo sacerdote, diciendo: ² *Así ha hablado Jehová de los ejércitos, diciendo: Este pueblo dice: No ha llegado aún el tiempo, el tiempo de que la casa de Jehová sea reedificada.* ³ *Entonces vino palabra de Jehová por medio del profeta Hageo, diciendo:* ⁴ *¿Es para vosotros tiempo, para vosotros, de habitar en vuestras casas artesonadas, y esta casa está desierta?"*
Hageo 1.1-4

Los hombres estaban más preocupados por su manera de vivir que por los propósitos de Dios; más ocupados en su comodidad, en cómo se podían beneficiar más –no les interesaba el reino de Dios–.

Ilustración: Si se le aumenta el presupuesto al ejército de los Estados Unidos para que los soldados estén más cómodos, pero no se invierte en armamento y logística, las defensas del país no serían confiables, y en vano tendríamos ejército. Si los soldados tienen el servicio médico más excelente del mundo, pero su entrenamiento es deficiente y antiguo, entonces tendremos un ejército mediocre.

Ésta es la figura de la iglesia de Jesucristo en el mundo. Dios nos ha mandado a edificar a su pueblo, a edificar seres humanos para que lleguen a la madurez; a edificar templos grandes para llenarlos de la gloria de Dios y de almas que no conocen a Cristo; a edificar a su iglesia, a alimentar al pobre y a la viuda, a discipular a los que van llegando, a ganar almas. Pero la Iglesia está ocupada en sus quehaceres, dándole a Dios todas las excusas habidas y por haber.

Durante catorce años, el templo permaneció sólo con el fundamento. ¿Por qué? Porque la construcción se detuvo el día en que Daniel desapareció de la escena. Él tendría unos ochenta y cinco años –de hecho, se cree que fue cuando murió–. Dios perdió su hombre, y toda la construcción se estancó por los siguientes catorce años. Entonces, levantó a otro llamado Hageo, quien profetizó cuatro veces y agitó al pueblo y a sus líderes –a Josué, al sumo sacerdote– y trajo un espíritu nuevo. Otra vez, comenzaron a trabajar y a edificar, y Dios estaba con ellos. Cuatro años más tarde, terminaron el templo. Sin un hombre, el Dios todopoderoso no puede hacer nada, porque Él lo decidió así. Pero, cuando tiene uno disponible y obediente, no hay nada que no pueda hacer.

Ilustración: D.L. Moody dijo lo siguiente: "El mundo todavía no ha visto lo que Dios puede hacer a través de una persona, una mujer, un hombre, entregado y santificado para Él. Señor, ayúdame a ser ese hombre".

Tal ser humano puede ser el instrumento para establecer el reino de Dios y remover el reino de las tinieblas de nuestras ciudades, de nuestros países. Ese ser humano no tiene que ser súper especial o súper inteligente, no tiene que ser el más talentoso ni el más dotado, pero sí necesita poseer ciertas características.

¿Cuáles son las características que Dios necesita para que ese hombre o mujer cumpla sus propósitos eternos?

Éstas son las características:

- **Este hombre debe estar disponible.**

  ¿Está usted dispuesto a presentar su cuerpo en sacrificio a Dios y a estar a su disposición con sus dones para Él? Una vez más digo, Dios no está buscando un hombre súper inteligente, sino uno disponible. Entonces la pregunta es: ¿quiere usted ser quien diga, como D.L. Moody: "Dios ayúdame a ser ese hombre"?

- **Ese hombre debe ser obediente.**

  Éste no es un asunto personal, sino que se trata de los grandes propósitos divinos. Muchas veces, nos envolvemos en orar por motivos personales pequeños, insignificantes. Y no es que Dios esté en contra de eso, por el contrario, Él quiere suplirnos todo lo personal, lo material, aun lo más pequeño que ocupa nuestra mente, que incluso, nosotros consideramos sin valor. Pero no podemos gastar tanto tiempo orando por esos asuntos personales. Lo que Dios le hacía saber a mi espíritu, es que debemos invertir más tiempo de nuestra oración e intercesión diarias para declarar los propósitos grandes y eternos de Dios en nuestra vida, ciudad y nación. Él sí está interesado en darnos un vehículo; pero más que eso, démosle gracias por ese bien y oremos para que traiga avivamiento a nuestra ciudad, para que miles de almas lo conozcan.

- **Este hombre debe estar dispuesto a pagar el precio.**

  Todos entendemos que nuestra salvación ha sido gratis para nosotros pero no para Cristo. Él tuvo que pagarla con su propia vida. Para ser usados por Dios de una manera especial, no podemos olvidar que hay un precio que pagar en este mundo; no para ir al Cielo, pero sí para vencer la oposición del enemigo contra los planes y los propósitos divinos. El enemigo vendrá a hacernos la guerra, y debemos pagar el precio de desarmarlo, atarlo y quitarle el botín.

¿Cuál es el precio que tenemos que pagar?

Estar disponibles para hacer la voluntad del Padre tiene un precio que no todos están dispuestos a pagar. A veces, es el precio de la persecución, o el de la soledad, el precio del desánimo, del cansancio, el precio de ser rechazados, de ser vituperados y perseguidos por la causa de Cristo, no porque seamos sinvergüenzas, sino por hacer la voluntad de nuestro Padre. Otras veces, el precio es vivir una vida santa y pura. Muchas personas no quieren pagar este precio porque prefieren seguir la ola o la corriente del mundo, estar a la moda y disfrutar de la vida. Pero Dios está buscando ese hombre disponible que se pare en la brecha, dispuesto a pagar el precio por motivos eternos.

Ilustración: Yo siempre le digo a mi liderazgo más cercano: "Cuando ustedes duermen, yo todavía estoy levantado orando o estudiando para darle el alimento espiritual a ustedes y al pueblo. Mientras ustedes se divierten con sus hijos en el parque, yo estoy ayunando". Es decir, hay un precio que pagar.

El otro precio es el cansancio físico, porque hacer la voluntad de Dios cuando Él lo despierta a medianoche para interceder por alguien o lo llama cuando está cansado para que le hable a otro de Cristo, se convierte en un alto precio que pagar. En resumidas cuentas, hay muchos precios por pagar; por eso Dios tiene que "buscar" hombres y mujeres disponibles, porque no abundan los que se muestran dispuestos a hacerlo.

Hoy en día, la mayor parte de los creyentes está reposando y no intercede ni vigila, ni edifica el Reino, ni se preocupa por las próximas generaciones. Dios se enoja y le responde a esta gente que está reposando:

*"14 Y me dijo el ángel que hablaba conmigo:
Clama diciendo: Así ha dicho Jehová de los ejércitos:
Celé con gran celo a Jerusalén y a Sion.
15 Y estoy muy airado contra las naciones
que están reposadas; porque cuando
yo estaba enojado un poco, ellos agravaron el mal."*
Zacarías 1.14, 15

El Señor quiere que su pueblo tome el control, que trabaje, que se mueva, que entre en acción, que haga algo. Es tiempo de hacer guerra.

Dios les dice a sus hijos: ¿Por qué están reposando cuando la brujería está llenando la ciudad? ¿Por qué están reposando cuando los abortos están en aumento? ¿Por qué están reposando cuando el humanismo está inundando nuestras escuelas y universidades? ¿Por qué están reposando cuando miles están siendo afectados por el virus del SIDA? ¿Por qué están reposando si hay miles con depresión, enfermos y atormentados? ¿Por qué están reposando cuando los jóvenes entran en pandillas para terminar muertos y destruidos? ¿Por qué están reposando cuando los homosexuales están peleando para establecer leyes que aprueben el comportamiento inmoral y el matrimonio entre personas del mismo sexo? ¿Por qué están reposando cuando sus hijos están siendo introducidos a la pornografía? ¿Por qué están reposando cuando hay tantas personas yéndose al Infierno sin Salvación? ¿Por qué están reposando cuando las murallas de la ciudad están caídas y deberían estar orando por ellas y reparando los portillos?

*"18 Después alcé mis ojos y miré,
y he aquí cuatro cuernos."*
Zacarías 1.18

Hay cuatro cuernos o principados que deben ser derribados, y Dios necesita un hombre para hacerlo. Esos cuatro cuernos son el espíritu de humanismo, el anticristo, la inmoralidad sexual y la avaricia. El pueblo está esparcido, dividido y un hombre tiene que levantarse a destruir estos demonios. Y otra de las grandes maldiciones que tenemos en este país, es el espíritu de independencia. Ahora, la libertad para la gente es: "Yo hago lo que quiero, cuando quiero, como quiero. Nadie tiene el derecho de decirme qué hacer".

Las oraciones de Daniel eran invisibles en la Tierra, pero efectivas en los Cielos.

> *"20 Él me dijo: ¿Sabes por qué he venido a ti? Pues ahora tengo que volver para pelear contra el príncipe de Persia; y al terminar con él, el príncipe de Grecia vendrá. 21 Pero yo te declararé lo que está escrito en el libro de la verdad; y ninguno me ayuda contra ellos, sino Miguel vuestro príncipe."*
> Daniel 10.20, 21

En el Antiguo Testamento, Daniel ganó la batalla en los aires. Veamos un ejemplo en el Nuevo Testamento:

> *"17 Entonces le respondió Jesús: Bienaventurado eres, Simón, hijo de Jonás, porque no te lo reveló carne ni sangre, sino mi Padre que está en los cielos. 18 Y yo también te digo, que tú eres Pedro, y sobre esta roca edificaré mi iglesia; y las puertas del Hades no prevalecerán contra ella."*
> Mateo 16.17, 18

El propósito principal de la Iglesia es patear las puertas del Hades. El enemigo se encierra en sus fortalezas, pero la Iglesia tiene el poder para destruirlas, para entrar y saquear el botín.

> *"19 Y a ti te daré las llaves del reino de los cielos; y todo lo que atares en la tierra será atado en los cielos; y todo lo que desatares en la tierra será desatado en los cielos."*
> Mateo 16.19

Hay distintas conjugaciones verbales en estos versos; un verbo está en tiempo Futuro y el otro en tiempo Pasado y se leen de esta forma: "Será atado porque ya ha sido atado". Ésta es exactamente la misma fraseología que encontramos en Marcos 11.24: "Creed que ya lo he recibido y os vendrá".

El tiempo es Participio Pasado primero y luego es Futuro, es una contracción de tiempos verbales. Éste es el lenguaje de la fe. Usted lo va a recibir cuando ya lo tiene. Lo que dice en Mateo es que si quiere ver las cosas atadas en la Tierra, tiene que haberlas ya atado en los Cielos. En otras palabras, usted toma la orden legal de la corte del Cielo para implementarla en la Tierra. Una vez que obtiene esta orden legal para atar, Dios mandará legiones de ángeles con usted para poner en vigor esa orden en la Tierra. Pero si usted no obtiene la orden de la Corte celestial, entonces peleará por su propia cuenta.

"Todo lo que atares en la Tierra, será atado porque ya ha sido atado en el Cielo". Otro ejemplo de esto se encuentra en Mateo 18.19

> *"¹⁹Otra vez os digo, que si dos de vosotros se pusieren de acuerdo en la tierra acerca de cualquiera cosa que pidieren, les será hecho por mi Padre que está en los cielos."*
> *Mateo 18.19*

La palabra **acuerdo** en el griego es *"sumfonéo"*, y significa hacer el mismo sonido juntos. De allí viene la palabra castellana *sinfonía*, que significa sonar en perfecta armonía. No significa que usted entra al cuarto y se pone de acuerdo con alguien y, entonces, hacen algo de acuerdo; no, ni siquiera se trata de hablar con la otra persona. Usted tiene que tocar la misma melodía en la orquesta y hacer el mismo sonido; debe estar en perfecto acuerdo, con el mismo propósito, el mismo objetivo, la misma pasión y fuego, sin estar peleados. Este acuerdo debe comenzar en el matrimonio. Pedro dice, en una de sus cartas, que si no estamos de acuerdo con nuestro cónyuge, nuestras oraciones serán estorbadas.

*"²⁰Porque donde están dos o tres congregados
en mi nombre, allí estoy yo en medio de ellos."*
Mateo 18.20

Dos o tres personas son el número ideal para llevar un caso ante la Corte celestial. Usted necesita un gran número de gente para librar la batalla militar, pero no para la legal. La razón de esto es que es más fácil que dos o tres personas se pongan de acuerdo, y para la batalla legal, es indispensable lograr una unidad perfecta. Cuando usted va a la Corte, no lleva cuarenta abogados, sólo dos o tres: el abogado acusador, un asistente legal y algún testigo.

Todo esto está sujeto al Espíritu Santo que nos guía. La mayor parte de los grandes avivamientos en el mundo fueron dados a luz por grupos pequeños de dos o tres personas.

Finalmente, ¿qué hizo Dios cuando no encontró un hombre?

*"¹⁴Y el derecho se retiró, y la justicia se puso lejos;
porque la verdad tropezó en la plaza, y la equidad no
pudo venir. ¹⁵Y la verdad fue detenida, y el que se apartó
del mal fue puesto en prisión; y lo vio Jehová,
y desagradó a sus ojos, porque pereció el derecho.
¹⁷Pues de justicia se vistió como de una coraza,
con yelmo de salvación en su cabeza;
tomó ropas de venganza por vestidura,
y se cubrió de celo como de manto,
¹⁸como para vindicación, como para retribuir con ira
a sus enemigos, y dar el pago a sus adversarios;
el pago dará a los de la costa."*
Isaías 59.14, 15, 17, 18

Dios mismo tuvo que vestirse de justicia. El Señor nos dice: "Yo te necesito para traer justicia. Aun cuando tengas debilidades y flaquezas, Yo te necesito". Dios tuvo que proveer un hombre para traer su justicia. Jesús se vistió de una coraza de justicia, vino a esta Tierra, y cuando se fue, nos dejó a cargo de traer su reino para destruir las obras de Satanás, y para proveer la salvación y la liberación al pueblo. Dios nos dice: "Yo te entreno, yo te enseño a ser un guerrero, pero necesito tu cuerpo. Uno que ame la justicia y odie la iniquidad, y cambie la historia de su nación, de su país y de su ciudad".

Le quiero hacer una pregunta a usted, líder, intercesor, pastor, apóstol, maestro: ¿se va a quedar sentado y reposando? Si lo está, sepa que eso es una ofensa a Dios. Hoy debe decirle: "Señor, yo quiero ser ese hombre que tú puedas usar para ganar toda mi familia para Jesús, mi barrio, mis compañeros de trabajo, y establecer el Reino de Dios en mi ciudad".

¿Está dispuesto a ser ese hombre o esa mujer? ¿Quiere ser el ser humano que ame la justicia y odie la iniquidad? ¿Está dispuesto a pagar el precio para establecer el reino de Dios por la fuerza? ¿Está dispuesto a pagar el precio de ser el atalaya que ore e interceda para que Dios lleve adelante sus planes y sus propósitos en su vida, en su iglesia y en su nación? Es tiempo de que el ejército de Dios en la Tierra se levante para ejercer justicia, dominio, y plantar el pie en los territorios que le pertenecen por derecho legal.

CAPÍTULO VII

Ascendiendo en adoración y descendiendo en guerra

En el cuerpo de Cristo, hemos encontrado que muchas personas entran en la guerra espiritual sin tener conocimiento ni entender los principios espirituales que esto implica. No saben quiénes son en Cristo. Dentro de esos principios claves, está el entender la verdadera adoración al Padre celestial. No se puede entrar en una guerra espiritual si no se es un verdadero adorador. En esta guerra, hay dos reinos en conflicto, el reino de las tinieblas y el reino de la luz. Por lo tanto, estamos frente a un choque de sacerdocios donde cada uno quiere establecer su reino. Lo importante para entender aquí es que, si vamos a descender en guerra, tenemos que aprender a ascender en una verdadera adoración al Padre. Vamos a estudiar el capítulo cuatro de Juan, el cual nos enseña lo que es un verdadero adorador.

"Cuando, pues, el Señor entendió
que los fariseos habían oído decir: Jesús hace y bautiza
más discípulos que Juan ² (aunque Jesús no bautizaba,
sino sus discípulos), ³ salió de Judea,
y se fue otra vez a Galilea.
⁴ Y le era necesario pasar por Samaria."
Juan 4.1-4

¿Por qué dice que a Jesús le era *necesario* pasar por Samaria? El hijo de Dios percibía que en Samaria había alguien con una gran necesidad, y con un potencial de verdadero adorador. Él podía oler la adoración que salía de Samaria. Él dijo: "Yo tengo que pasar porque percibo que de ahí puede salir una adoración viva".

"⁵ Vino, pues, a una ciudad de Samaria llamada Sicar,
junto a la heredad que Jacob dio a su hijo José.

> *⁶Y estaba allí el pozo de Jacob. Entonces Jesús, cansado*
> *del camino, se sentó así junto al pozo.*
> *Era como la hora sexta."*
> *Juan 4.5, 6*

Vamos a analizar este pasaje bíblico en profundidad. Este verso dice que Jesucristo estaba cansado del camino. Eso nos da a entender que Él era un ser humano normal, común y corriente. La única diferencia con nosotros era que Él tenía la humanidad que tuvo Adán antes de pecar. Por lo demás, era un ser humano como cualquiera de nosotros, que se cansaba, que sentía hambre, sueño, etcétera. Conocer esta verdad nos provoca más admiración, respeto y amor por Jesús; Él no tenía un truquito para no cansarse, ni usaba su divinidad para enfrentar las tentaciones. Todo lo hizo como un hombre que decidió ser obediente al Padre y estar disponible para el Espíritu Santo. A pesar de su cansancio, establece el Reino en un territorio nuevo.

Aquello ocurrió como a la hora sexta. El escritor hace la observación porque ya era casi de noche. A esa hora, al pozo sólo llegaba gente que estaba buscando algo más que agua; eran prostitutas o personas que andaban en negocios secretos, quizás no tan legales. No era una buena hora para que una persona de bien fuera allí.

> *⁷Vino una mujer de Samaria a sacar agua;*
> *y Jesús le dijo: Dame de beber.*
> *⁸Pues sus discípulos habían ido a la ciudad a comprar de*
> *comer. ⁹La mujer samaritana*
> *le dijo: ¿Cómo tú, siendo judío,*
> *me pides a mí de beber, que soy mujer samaritana?*
> *Porque judíos y samaritanos*
> *no se tratan entre sí."*
> *Juan 4.7-9*

Para entender mejor esta conversación, permítame explicar en breve lo que sucedía entre samaritanos y judíos. Los judíos consideraban a sus vecinos en Samaria como inferiores a ellos; los llamaban perros, gentiles, porque no eran parte del pacto con Dios. Los miraban de lado, los trataban con desprecio. Quiero que analicemos cómo Jesucristo evangelizó a esta mujer, más allá de los prejuicios y las divisiones humanas. Vamos a ver, al pescador de hombres, en acción. La Biblia dice que nosotros debemos seguir las pisadas del Maestro; para eso, estudiaremos cómo manejó Él esta situación:

Jesús inicia la conversación con esta samaritana, pidiéndole agua para beber, pues estaban junto a un pozo de agua. ¿Por qué Cristo le hace este pedido a la mujer? Realmente no lo hace porque tuviera sed, sino porque quiere decirle algo especial. Cristo, por el don de palabra de ciencia, se da cuenta de que esta mujer tiene una gran sed en su alma, la cual no ha podido satisfacer con nada, y usa esta necesidad para testificarle del evangelio y de sí mismo como hijo de Dios. Pero la mujer se sorprende de que un judío siquiera le dirija la palabra; pues es bien consciente del conflicto que existe entre ellos. Ella misma le recuerda que no debería hablarle. De todos modos, pese al rechazo inicial de la mujer, Jesús no cesa de sorprenderla. Mire lo que contesta a su negativa.

> *"¹⁰Respondió Jesús y le dijo: Si conocieras el don de Dios, y quién es el que te dice: Dame de beber; tú le pedirías, y él te daría agua viva."*
> *Juan 4.10*

Jesucristo no se deja desviar de su objetivo, por el contrario, sigue insistiendo con el agua viva, sigue con el don de Dios que le quiere regalar a ella.

> *"¹¹La mujer le dijo: Señor, no tienes con qué sacarla, y el pozo es hondo. ¿De dónde, pues, tienes el agua viva?"*
> *Juan 4.11*

La mujer no logra entender a qué se refiere aquel hombre. Jesús insiste porque quiere llegarle a su necesidad; sin embargo, ella sigue asociando lo que le está diciendo con lo natural.

"12 ¿Acaso eres tú mayor que nuestro padre Jacob,
que nos dio este pozo, del cual bebieron él, sus hijos
y sus ganados?13 Respondió Jesús y le dijo:
Cualquiera que bebiere de esta agua, volverá a tener sed;
14 mas el que bebiere del agua que yo le daré,
no tendrá sed jamás; sino que el agua que yo le daré
será en él una fuente de agua que salte para vida eterna."
Juan 4.12-14

¿Qué es la vida eterna?

La vida eterna es la misma vida que Dios posee, la cual sólo encontramos en el Hijo. Dice la Biblia que el que tiene al Hijo, tiene la vida eterna. Dentro de esa vida eterna, hay paz, gozo, amor, mansedumbre, y todas las virtudes inherentes al ser divino. Vida eterna no es existir por largo tiempo, sino recibir la misma capacidad de ser que Dios tiene, por medio de Jesucristo.

"15 La mujer le dijo: Señor, dame esa agua,
para que no tenga yo sed, ni venga aquí a sacarla."
Juan 4.15

Una vez más, la mujer relaciona lo que oye, con algo natural. Ella no ha entendido todavía. Entonces, Jesús, por el don de palabra de ciencia, le dice:

"16 Jesús le dijo: Ve, llama a tu marido, y ven acá.
17 Respondió la mujer y dijo: No tengo marido.
Jesús le dijo: Bien has dicho: No tengo marido;
18 porque cinco maridos has tenido,
y el que ahora tienes no es tu marido;
esto has dicho con verdad."
Juan 4.16-18

Mire que no la avergonzó. Jesús supo que esta mujer había tratado de satisfacer la sed que llevaba por dentro, buscando el amor de los hombres. Llevaba una insatisfacción, tenía una sed tan grande de ser amada... Él sabía que no tenía un marido; sin embargo, dejó que ella dijera la verdad. Cuando lo hizo, Jesús no la acusó, no le dijo: "Vete prostituta" –recuerde que era la hora sexta y ahí sólo llegaba este tipo de gente–, sino que le contestó: "...esto dices con verdad...". ¡Qué bueno es nuestro Dios que no nos acusa y nos dice la verdad con amor! Jesús percibe en esta mujer la insatisfacción, la necesidad de ser amada y cómo ha buscado el amor en los hombres. Por eso Él viene a ofrecerle la verdadera vida en abundancia, que conlleva en sí el amor genuino.

> *"19Le dijo la mujer:*
> *Señor, me parece que tú eres profeta.*
> *20Nuestros padres adoraron en este monte,*
> *y vosotros decís que en Jerusalén es el lugar*
> *donde se debe adorar."*
> *Juan 4.19, 20*

Cuando Cristo le menciona lo de sus amantes, de repente, la mujer cambia todo el contexto de la conversación y se mete en el tema de la adoración. Por fin, deja de pensar y hablar de lo natural y entra en el mundo espiritual. ¿Por qué esta mujer cambia el tema a la adoración? ¿Por qué pregunta sobre la adoración? Cuando la samaritana se da cuenta de que Jesús no es un hombre común– de los que vienen siempre al pozo a aquellas horas–, le abre su corazón, le muestra su sed de adoración, porque era una adoradora. Recuerde que Jesús, desde que salió del otro lugar, sentía la necesidad de pasar por Samaria, porque sabía que había una adoradora y una evangelista. Entonces, dice la mujer: "Yo sé que se debe adorar en Jerusalén... y yo tengo un gran deseo, siento pasión por adorar, pero no sé cómo".

> *"21Jesús le dijo:*
> *Mujer, créeme, que la hora viene*
> *cuando ni en este monte ni en Jerusalén*
> *adoraréis al Padre."*
> *Juan 4.21*

Éste es el punto al que Jesús quería llegar, su intención era darle el agua de vida eterna y enseñarle a adorar, darle el curso correcto a esa pasión que ardía en su corazón.

El padre es el primero a quien debe dirigir su adoración

> *"22 Vosotros adoráis lo que no sabéis;*
> *nosotros adoramos lo que sabemos;*
> *porque la salvación viene de los judíos."*
> *Juan 4.22*

Cada ser humano fue hecho para adorar a Dios; pero cuando no sabemos qué adorar ni cómo hacerlo, les damos esa adoración a dioses falsos. Así como esta mujer, hay millones en el mundo, adorando lo que no saben. Adoran a una estatua, adoran el dinero, se adoran a sí mismos, adoran una iglesia, adoran una tradición, porque tienen sed, como la samaritana; tienen sed de la verdadera adoración. Están adorando con sinceridad, pero del modo errado; por eso es que Cristo puso a esta mujer en la perspectiva correcta, señalando al Padre como el único digno de adoración. Con Él es con quien puede tener la relación íntima que llenará o satisfará todo su ser y dará sentido a su vida.

> *"23 Mas la hora viene, y ahora es, cuando los verdaderos*
> *adoradores adorarán al Padre en espíritu y en verdad;*
> *porque también el Padre tales adoradores busca*
> *que le adoren. 24 Dios es Espíritu; y los que le adoran,*
> *en espíritu y en verdad es necesario que adoren."*
> *Juan 4.23, 24*

Jesús le va a enseñar cómo ser un verdadero adorador y cómo adorar a Dios. La palabra **adoración** es el vocablo griego *"proskunéo"*, y se compone de dos palabras; *"pros"*, que significa acercarse, cerca, y *"kúon"*, que significa perro. Al unir las palabras, adoración significa acercarse como un perro se acerca al amo, besando su mano como el perro lame la mano de su amo; también, quiere decir demostrar afecto en forma halagadora, agacharse, postrarse con respeto y reverencia ante una autoridad. Describe el hecho de acercarse para besar amorosamente al amo, como lo hace un perro, con una sumisión total.

La palabra hebrea es *"shakjá"*, que significa inclinarse, postrarse en reverencia, en adoración; suplicar humildemente a alguien que haga algo. El significado literal del verbo es caer de rodillas en el piso ante un rey o realeza. Es rodar por el piso en forma indolente, en presencia del rey. Bíblicamente, lo podemos comprobar con el siguiente pasaje:

> *"²² Y Joab se postró en tierra sobre su rostro e hizo reverencia, y después que bendijo al rey, dijo: Hoy ha entendido tu siervo que he hallado gracia en tus ojos, rey señor mío, pues ha hecho el rey lo que su siervo ha dicho."*
> *2 Samuel 14.22*

Esta palabra da a entender que es una emoción que puede combinarse con terror santo y veneración, y un asombro inspirado por una autoridad o por un ser supremo, sublime, sagrado. Dios está esperando que nosotros, sus hijos, nos acerquemos a Él para besarle y adorarle en respeto, obediencia, sumisión y humildad como un perro lame la mano de su amo. Éste es el tipo de adoradores que busca.

Jesucristo le dice a esta mujer que la hora viene, cuando los verdaderos adoradores adorarán al Padre, y que esto es en espíritu y en verdad. Si hay verdaderos adoradores, quiere decir que también los hay mentirosos o falsos. Hay adoradores ficticios. Esto nos lleva a la siguiente pregunta:

¿Cuáles son las características de la falsa adoración?

Para llegar a ser verdaderos adoradores, es importante tener, también, una clara definición de lo que es la falsa adoración, para no incurrir en ella. Hay tres características que envuelven una falsa adoración. El Antiguo Testamento tiene mucho qué decir al respecto. Veamos:

1. Adorar lo incorrecto es igual a idolatría.

La falsa adoración es un acercamiento inaceptable, aquello que preserva lo externo, pero reduce lo verdadero a un simple rito. El formalismo de cumplir con lo establecido llevando a cabo todos los rituales correctos, pero sin la actitud correspondiente del corazón; es condenado como idolatría.

2. Adorar a Dios separado de una vida de integridad, humildad, servicio, respeto y obediencia, es igual a hipocresía.

Es aquella adoración que no se condice con una actitud de obediencia, integridad y transparencia a su palabra. En el Antiguo Testamento, había un constante énfasis en que los adoradores debían tener una actitud correcta hacia Dios, pues ésta determinaba si la adoración era aceptable o no. Por eso Jesús declara que el Padre está buscando verdaderos adoradores.

La adoración divorciada
de una vida íntegra y transparente,
es igual a hipocresía.

La adoración debe ser ofrecida, no sólo de labios sino con el ser total, espíritu, alma y cuerpo. Una persona íntegra es alguien, cuyas palabras van de acuerdo con sus acciones, que está completo en espíritu, alma y cuerpo.

Dios busca adoradores. La palabra **buscar** es el vocablo griego *"zetéo"*, que significa buscar cuidadosamente; buscar como un hombre sediento procura hallar el agua, dando a entender que hay dificultad para encontrarla. Además, significa buscar diligentemente, ir en pos de alguien; es una búsqueda especial de Dios.

El Señor no está buscando, cuidadosamente, cantantes, coristas, apóstoles, maestros, secretarias, hombres de negocios, músicos, entre otros; Él busca verdaderos adoradores, en espíritu y en verdad, sinceros e íntegros porque hay una escasez de ellos.

3. **Adorar con una actitud incorrecta de corazón es igual a formalismo.**

La verdadera adoración es una actitud, no una actividad.

Cualquiera puede repetir un formalismo y decir: "¡Gloria a Dios! ¡Aleluya!", como una expresión monótona de adoración formal; pero adorar con la actitud correcta de corazón envuelve más que eso.

¿Quién es un adorador en espíritu y en verdad?

"8 Así que celebremos la fiesta, no con la vieja levadura, ni con la levadura de malicia y de maldad, sino con panes sin levadura, de sinceridad y de verdad."
1 Corintios 5.8

La palabra **sinceridad** en griego es *"eilikríneia"*, que significa juzgado a la luz del sol. Esta palabra griega se utilizaba en los bazares del Oriente, donde se exhibía la alfarería en cuartos débilmente alumbrados. Los comerciantes inescrupulosos remendaban las vasijas rotas cubriendo los defectos con cera. Pero los compradores avezados salían a la calle y sostenían las vasijas en alto; así juzgaban su calidad a la luz del sol. *"Eilikríneia"* significa trasparencia, verdad, pureza genuina, inocencia no contaminada.

Dios nos está diciendo: "Yo busco adoradores íntegros, sinceros, genuinos, que no estén contaminados con el mundo, que puedan ser juzgados delante de mi presencia y salir puros y honestos".

La palabra **verdad**, en griego, es integridad, que significa libre de mancha y corrupción. La Biblia dice que la palabra de Dios es la verdad. Nosotros tenemos que adorarle de acuerdo a lo que su palabra nos enseña. Y cuando dice "en espíritu", es porque el Espíritu Santo, a través de nosotros, adora al Padre. Él es quien nos enseña a ser verdaderos adoradores.

¿Cuáles son las características de un verdadero adorador?

El verdadero adorador:

1. **Está libre de mancha moral.**

   Es alguien que no está contaminado con los métodos, formas de pensar y valores del mundo. Los motivos y la intención de adorar son glorificar a Cristo.

2. **Sus acciones van de acuerdo con sus palabras.**

   Un verdadero adorador practica lo que habla; es el mismo en público y en privado.

3. **Adora a Dios con su ser total, en espíritu, alma y cuerpo.**

   Hay muchos adoradores ficticios, mentirosos, cuyas vidas son un desastre; alaban a Dios con su boca, pero su cuerpo, sus pensamientos, son de venganza, de falta de perdón, de inmoralidad, de miedo e incredulidad. Ellos juzgan y pecan con su cuerpo.

   ⌘⌘

   Si usted no adora a Dios con su cuerpo,
   con su alma, sus emociones y su espíritu,
   su adoración es ficticia y contamina.

   ⌘⌘

4. **Adora por las razones correctas.**

¿Cuáles son las razones correctas por las cuales adorar a Dios?

❖ **Dios es digno de adoración.**

Él no sólo merece nuestra adoración sino que es digno de ella. En el libro de Apocalipsis, vemos que Dios es adorado por los ángeles, por los hombres y aun por la misma naturaleza. ¡No hay nadie como Él!

❖ **Dios demanda nuestra adoración.**

La Biblia dice que somos reyes y sacerdotes; como tales, una de nuestras funciones es adorarlo.

❖ **Adoramos a Dios para su propio placer.**

Fuimos creados por Dios para adorarle y dar placer a su corazón.

*Cuando adoramos a Dios
por las razones correctas, el resultado es
que podemos disfrutarlo a Él verdaderamente.*

Hay muchas personas que adoran a Dios sólo cuando Él los ha bendecido; pero un verdadero adorador, lo adora porque Él es digno.

5. **Adora a Dios de continuo, en privado y en público.**

*"Bendeciré a Jehová en todo tiempo;
su alabanza estará de continuo en mi boca."
Salmos 34.1*

La alabanza y la adoración son un estilo de vida, no es sólo para practicar en el momento de subir al altar. El adorador genuino eleva su corazón a Dios cuando las cosas están bien y cuando están mal; en la mañana, en la tarde, en la noche, todo el tiempo.

Una vida de alabanza en privado y continua nos enseña y nos prepara para la alabanza pública.

6. Tiene comunión íntima con Dios Padre.

"¹⁰Venga tu reino. Hágase tu voluntad, como en el cielo, así también en la tierra."
Mateo 6.₁₀

Jesús nos dijo que los verdaderos adoradores adorarán al Padre en espíritu y en verdad. Ser un verdadero adorador es más que sólo cantar o tocar un instrumento; hay que tener una relación directa con el Padre y mantenerse en una continua actitud de oración. Usted no puede adorar a alguien que no conoce íntimamente.

La adoración en espíritu y en verdad tiene un efecto en Dios que nada más puede lograr.

Todo lo dicho hasta aquí, nos lleva a la conclusión de que si usted ha ayunado, orado, reprendido, decretado, declarado y no ha tenido un rompimiento, lo que le hace falta es adorar a Dios en espíritu y en verdad. Si lo ha intentado todo, sin éxito, hoy mismo comience a adorar a Dios; pero hágalo con la actitud correcta –adorando y bendiciendo su nombre todo el tiempo– y sus resultados cambiarán.

Esto es así especialmente cuando adoramos al Padre con una actitud de sumisión, humildad y transparencia.

¿Qué hace la adoración en nosotros? La adoración tiene la virtud de convertirnos en aquello que adoramos.

*Todo lo que Dios es y todo lo que posee,
es impartido a nosotros en la adoración.*

¿Qué es Dios? Dios es amor, es paz, es poder, es autoridad. ¿Qué tiene Dios? Dios tiene vida, salud, gozo, prosperidad, e infinidad de virtudes y bendiciones. Por tanto, nuestra adoración no sólo ejerce un efecto en Dios que nada más puede lograr, sino que, además, nos convierte en todo lo que Él es y nos da todo lo que tiene. Quiere decir que, si no hemos recibido lo que necesitamos, es porque no hemos aprendido a ser verdaderos adoradores.

¿Qué más hace la adoración en nosotros?

La adoración a Dios nos satisface tanto que ya no vivimos dependiendo o demandando atención o amor de otras relaciones. Éste es el meollo del encuentro de Jesús con la mujer samaritana, es el punto principal.

Hay muchas personas, en este momento, que están demandando lo que necesitan de las relaciones con sus esposos, con sus hijos, con su familia porque quieren ser amadas; pero no han entendido que el único amor que llena es el del Padre celestial, y eso ocurre cuando se le adora en espíritu y en verdad.

Como le sucedía a esta mujer, muchos de nosotros tenemos un vacío que sólo Dios, el Padre, puede llenar. El error que ella cometía era buscar, en un hombre, el amor que necesitaba. Nosotros, hoy también, cometemos este mismo error. En aquella mujer había un clamor por ser amada, como lo hay en cada ser humano.

Ilustración: Si yo espero recibir de mi esposa el amor que sólo el Padre me puede dar, entonces estoy poniendo en ella una carga o demanda irrazonable. Así la relación se vuelve tensa; pues mi esposa, por más que lo intente, no podrá darme ese amor. Y lo mismo sucede a la inversa. Pero si buscamos a Dios Padre, si lo adoramos en espíritu y en verdad, Él viene a ser nuestro amado en el espíritu. Si lo veneramos y lo adoramos, recuperamos la vida y la pasión. Nos llenamos tanto del Espíritu Santo que, aunque amemos a nuestra esposa o esposo o a nuestros hijos, no les demandamos amor con esa desesperación y necesidad; así, les quitamos esa carga y la relación se vuelve linda y especial. Así mi esposa se puede ir por una semana a servir a Dios y yo encuentro la gracia en Él para tolerar su ausencia. Yo la amo, la aprecio y anhelo su compañía, pero no se me cae el mundo si me falta unos días. Y lo mismo le sucede a ella cuando yo me ausento de casa. Sé que si alguno de los dos muriera y fuera a estar con el Señor, ninguno caería hecho pedazos; porque aunque nos amamos mucho, la raíz de nuestro amor está en Dios. Él es quien llena nuestra necesidad de amor y quien nos satisface por completo.

Después de conocer a Jesús –su vida eterna y el amor del Padre que llena todo el ser–, la mujer samaritana pudo entender la verdadera dimensión de la relación con un hombre. Ya no necesitaba tener siempre uno a su lado para sentirse completa y satisfecha, ya no estaba buscando que un hombre la llenara.

Como mencionaba antes, muchas personas que están leyendo este libro, se encuentran en la misma situación, frustradas, deprimidas, desanimadas porque han estado demandando el amor que les hace falta de alguien que no tiene la capacidad de dárselos. Han empujado y empujado, peleado, reclamado, cambiado de persona, una y otra vez, y no lo han podido encontrar. Por eso están frustradas. Pero yo quiero darles la solución; si deciden acercarse al Padre, adorarlo y amarlo con todo su corazón, Él vendrá y las amará y las cuidará; por consiguiente, se sentirán satisfechas. El amor que ningún hombre o mujer puede dar, que ni los hijos ni la madre pueden dar, sólo proviene del Padre cuando nos convertimos en sus verdaderos adoradores.

Adorar al Padre en espíritu y en verdad no es algo para hacer por hacer. Todos necesitamos esa relación con el Padre; por eso el Espíritu Santo quiere mostrarnos cómo amar y adorar al Padre.

> *"25 Le dijo la mujer: Sé que ha de venir el Mesías, llamado el Cristo; cuando él venga nos declarará todas las cosas. 26 Jesús le dijo: Yo soy, el que habla contigo."*
> *Juan 4.25, 26*

Ya me puedo imaginar la cara de aquella mujer diciendo: "¡Cuántas veces y cuántos años estuve buscando una respuesta, buscando a quién adorar y buscando quién me llene el corazón!". Imagino cómo saltó su corazón de alegría cuando por fin sintió el amor del Padre.

> *"27 En esto vinieron sus discípulos, y se maravillaron de que hablaba con una mujer; sin embargo, ninguno dijo: ¿Qué preguntas? o, ¿qué hablas con ella?"*
> *Juan 4.27*

Recuerde que, en aquel tiempo, los samaritanos no eran bien vistos por los judíos, y si eran mujeres, era aun peor. Los discípulos también tenían ese prejuicio, pero no mi amado Jesús; Él siguió hablando con la mujer, pues no le importó que fuera samaritana.

> *"28 Entonces la mujer dejó su cántaro, y fue a la ciudad, y dijo a los hombres..."*
> *Juan 4.28*

¡Qué maravilloso! ¡Qué maravilloso! En este relato, esta mujer ascendió en adoración y, luego, descendió en guerra, pues regresó a predicar. Eso es lo que nos sucede cuando ascendemos a adorar al Padre. Entregarnos al Padre como hijos sumisos, rendidos ante su majestad, nos llena de su fuerza, de su pasión, de su espíritu guerrero, y así, descendemos a proclamar a Jesucristo, descendemos a guerrear contra el diablo, descendemos a amar a nuestro hermano; descendemos con el corazón lleno y satisfecho porque encontramos el verdadero amor.

> *"29 Venid, ved a un hombre que me ha dicho todo cuanto he hecho. ¿No será éste el Cristo? 30 Entonces salieron de la ciudad, y vinieron a él."*
>
> *Juan 4.29, 30*

Los discípulos estaban mirando y analizando todo en lo natural; no se daban cuenta de que Jesucristo estaba ganando almas. Él estaba ganando a todo el pueblo de Samaria para el Reino.

> *"31 Entre tanto, los discípulos le rogaban, diciendo: Rabí, come. 32 Él les dijo: Yo tengo una comida que comer, que vosotros no sabéis. 33 Entonces los discípulos decían unos a otros: ¿Le habrá traído alguien de comer?"*
>
> *Juan 4.31-33*

Entonces, los discípulos se decían unos a otros: "¿Será que le trajeron una hamburguesa? ¿Será que le trajeron pollo frito? ¿Le habrán dado arroz con pollo? ¿Alguien le habrá dado algo de comer?

> *"34 Jesús les dijo: Mi comida es que haga la voluntad del que me envió, y que acabe su obra."*
>
> *Juan 4.34*

Jesucristo compara hacer la voluntad de Dios con la comida diaria. Mi clamor es: "¡Dios, levanta hombres que tengan tu voluntad y que la tomen como una comida diaria esencial para vivir!".

> *"35 ¿No decís vosotros: Aún faltan cuatro meses para que llegue la siega? He aquí os digo: Alzad vuestros ojos y mirad los campos, porque ya están blancos para la siega."*
>
> *Juan 4.35*

Jesús terminó y la mujer salió convertida; ascendió en una adoración verdadera, aquella que nace del corazón para el Padre. Ahora sabía a quién tenía que adorar y sabía cómo hacerlo. Cuando entendió, la mujer abrió su ser, fue salva, recibió vida eterna y fue llena del amor del Padre.

¿Cuál es el mensaje de Jesús?

El mensaje del Señor es que ya la cosecha está lista, como lo estaba aquella mujer. Hay mucha gente como ella, con potencial de ser verdaderas adoradoras, en espíritu y en verdad, y nosotros tenemos que ir a ganarlas.

> *"³⁶ Y el que siega recibe salario, y recoge fruto para vida eterna, para que el que siembra goce juntamente con el que siega. ³⁷ Porque en esto es verdadero el dicho: Uno es el que siembra, y otro es el que siega. ³⁸ Yo os he enviado a segar lo que vosotros no labrasteis; otros labraron, y vosotros habéis entrado en sus labores."*
> *Juan 4.36-38*

Muchos de esos samaritanos creyeron por el testimonio de aquella mujer; prácticamente, ella fue quien evangelizó a su pueblo, se convirtió en una guerrera. Ganó toda una ciudad para Jesús. Todos estos hombres creyeron en Jesucristo porque una mujer supo ascender en adoración y descender en guerra.

> *"³⁹ Y muchos de los samaritanos de aquella ciudad creyeron en él por la palabra de la mujer, que daba testimonio diciendo: Me dijo todo lo que he hecho. ⁴⁰ Entonces vinieron los samaritanos a él y le rogaron que se quedase con ellos; y se quedó allí dos días. ⁴¹ Y creyeron muchos más por la palabra de él, ⁴² y decían a la mujer: Ya no creemos solamente por tu dicho, porque nosotros mismos hemos oído, y sabemos que verdaderamente éste es el Salvador del mundo, el Cristo."*
> *Juan 4.39-42*

Así como esa mujer samaritana subió en adoración, también lo hizo Abraham cuando Dios le pidió a su hijo en sacrificio:

> *"Entonces dijo Abraham a sus siervos: Esperad aquí con el asno, y yo y el muchacho iremos hasta allí y adoraremos, y volveremos a vosotros."*
> Génesis 22.5

¿Dónde es "allí"?

Allí es el lugar detrás del velo, donde Dios Padre está esperando; el lugar secreto donde vamos a adorar al Padre en espíritu y en verdad. Abraham dijo: "adoraremos y volveremos".

Una vez que entramos a ese lugar secreto, Dios nos imparte lo que es y lo que tiene –su poder, su autoridad–, y sobre todo, nos imparte el espíritu de guerra para establecer su reino en la Tierra, para ganar almas para Jesucristo. Y al mismo tiempo que hacemos esto, somos transformados viéndolo a Él cara a cara, de gloria en gloria y de victoria en victoria.

Conclusión

Ahora mismo, muchos de los que leen este libro, sienten un gran vacío en el corazón y aún no han entendido que la solución es convertirse en un verdadero adorador del Padre. No saben cómo adorar, no entienden a quién adorar. Necesitamos adorar al Padre en espíritu y en verdad, y con eso, éste puede convertirse en el día más glorioso de su vida. Sólo el Padre puede llenar nuestro corazón mientras lo adoramos. Cuando eso sucede, también ocurre otro milagro muy especial, nos convertimos en lo que adoramos. Dios nos imparte todo lo que es y todo lo que tiene; y una de sus virtudes o atributos, una de las cualidades de su naturaleza, es su espíritu guerrero. La Biblia le llama a Dios "Jehová, el varón de guerra"; por lo tanto, si nosotros nacimos de Dios, también tenemos su naturaleza guerrero. Cuando nos volvemos uno con Él, en alabanza y adoración, nos humillamos, nos tiramos a sus pies y besamos sus manos, en una actitud de humildad, de obediencia, transparencia, por el Espíritu Santo que nos ayuda a adorar al Padre. Ahí nos convertimos en guerreros. El Padre anhela establecer su reino en la Tierra, y eso sólo se hace por la fuerza, con guerra.

CAPÍTULO VIII

Las dos facetas más importantes de la intercesión

En la Escritura, Dios nos instruye acerca de que los creyentes podemos pronunciar diferentes tipos de oraciones, y una de ellas es la oración de intercesión. En este capítulo, vamos a conocer qué es un intercesor, qué es la intercesión y sus dos facetas más importantes, las cuales están interrelacionadas. Es fundamental que conozcamos esto, de modo que manejemos correctamente los diferentes tipos de oración que tenemos a nuestra disposición para ganar la guerra contra los principados y potestades que gobiernan nuestras ciudades.

¿Qué es un intercesor?

Un intercesor es un atalaya, es un vigilante que prepara a la ciudad para las emergencias; siempre está un paso adelante del diablo, ve el futuro, advierte al pueblo del mal e intercede ante Dios para alcanzar salvación y liberación.

> *"⁶Pero si el atalaya viere venir la espada y no tocare*
> *la trompeta, y el pueblo no se apercibiere,*
> *y viniendo la espada, hiriere de él a alguno,*
> *éste fue tomado por causa de su pecado,*
> *pero demandaré su sangre de mano del atalaya.*
> *⁷A ti, pues, hijo de hombre, te he puesto por atalaya a la*
> *casa de Israel, y oirás la palabra de mi boca,*
> *y los amonestarás de mi parte."*
> *Ezequiel 33.6, 7*

Los intercesores son personas que no le dan a Dios descanso; siempre están vigilando la familia, la ciudad, la iglesia y orando por ellas y por las diferentes situaciones adversas que el enemigo levanta.

"⁶Sobre tus muros, oh Jerusalén, he puesto guardas; todo el día y toda la noche no callarán jamás. Los que os acordáis de Jehová, no reposéis, ⁷ni le deis tregua, hasta que restablezca a Jerusalén, y la ponga por alabanza en la tierra."

Isaías 62.6, 7

Una de las prioridades del intercesor es interceder por los gobernantes de nuestras ciudades y naciones.

"¹Exhorto ante todo, a que se hagan rogativas, oraciones, peticiones y acciones de gracias, por todos los hombres; ²por los reyes y por todos los que están en eminencia, para que vivamos quieta y reposadamente en toda piedad y honestidad."

1 Timoteo 2.1, 2

Ilustración: El profeta Chuck Pierce estaba en algún lugar de los Estados Unidos cuando Dios le dio una palabra profética acerca de un terremoto que estaba a punto de ocurrir en China. Una intercesora lo estaba viendo en China, en la ciudad donde el profeta anunciaba el terremoto; de inmediato, llamó a su familia y a todas sus amistades, y puso el aviso a través de diferentes canales de televisión e Internet, advirtiendo a la gente. Eso fue aproximadamente a las doce del mediodía. Alrededor de las dos de la tarde, el gran terremoto había ocurrido.

Los intercesores son los vigilantes, los guardas que Dios tiene en la Tierra para poder advertir al pueblo que se arrepienta y evitar los grandes juicios que vienen sobre sus naciones y ciudades.

¿Qué es la intercesión?

La intercesión es pararse ante Dios en lugar de otros; orar por ellos, buscar el pan para su mesa, así como vimos en Lucas 11.5, donde un amigo busca pan para su amigo.

Dios siempre busca un hombre que se pare en la brecha

> *"30 Y busqué entre ellos hombre que hiciese vallado*
> *y que se pusiese en la brecha delante de mí, a favor*
> *de la tierra, para que yo no la destruyese; y no lo hallé."*
> *Ezequiel 22.30*

En la Antigüedad, todas las ciudades eran amuralladas con piedras, ladrillos o bloques de piedra para evitar que los enemigos entraran y las destruyeran. Sabiendo esto de antemano, muchos enemigos mandaban gente delante de sus tropas, antes de hacer el ataque frontal. Cuando las paredes eran altas y la ciudad estaba bien cerrada, estos individuos empezaban a hacer portillos o huecos en los muros. Una vez traspasadas las murallas, ellos entraban a la ciudad, y entonces, desprotegida, podían saquearla, tomar sus bienes y esclavizar a sus habitantes. Por eso el trabajo del atalaya era tan importante; él era un intercesor que vigilaba para que eso no ocurriera. Si en alguna ocasión, los enviados lograban traspasar el muro, inmediatamente este atalaya daba aviso, e iba y cerraba la brecha para que el enemigo no invadiera su territorio. En el mundo espiritual, también es así; el pecado o la falta de vigilancia permite que el enemigo abra brecha en los muros de protección espiritual de personas, ciudades y naciones. El pecado, ya sea de comisión o de omisión, abre portillos que dan lugar al enemigo. El trabajo del intercesor es pararse en ellos y cerrarlos en oración para evitar que el enemigo logre atacar a esas personas.

Podemos usar muchos ejemplos de hombres que se pararon en la brecha en el Antiguo Testamento:

Moisés

> *"31 Entonces volvió Moisés a Jehová, y dijo: Te ruego,*
> *pues este pueblo ha cometido un gran pecado, porque se*
> *hicieron dioses de oro, 32 que perdones ahora su pecado,*

y si no, ráeme ahora de tu libro que has escrito."
Éxodo 32.31, 32

El pueblo había edificado un becerro de oro para adorarlo en lugar de Jehová. Al ver esto, Dios se enojó y decidió destruir al pueblo. Moisés intercedió y el Señor consideró la posibilidad de perdonarlo.

Abraham

"22 Y se apartaron de allí los varones,
y fueron hacia Sodoma; pero Abraham estaba aún
delante de Jehová. 23 Y se acercó Abraham y dijo:
¿Destruirás también al justo con el impío?
24 Quizá haya cincuenta justos dentro de la ciudad:
¿destruirás también y no perdonarás al lugar
por amor a los cincuenta justos que estén dentro de él?
25 Lejos de ti el hacer tal, que hagas morir al justo
con el impío, y que sea el justo tratado como el impío;
nunca tal hagas. El Juez de toda la tierra,
¿no ha de hacer lo que es justo? 26 Entonces respondió
Jehová: Si hallare en Sodoma
cincuenta justos dentro de la ciudad,
perdonaré a todo este lugar por amor a ellos."
Génesis 18.22-26

Finalmente, Dios no halló ni siquiera diez justos, por tanto, destruyó la ciudad. Pero Abraham se paró en la brecha y logró conmover su corazón.

A diario, yo soy testigo de cómo mi esposa y los intercesores en la iglesia, me cubren de muchos ataques del enemigo, reparan la brecha en mi vida y en la de la iglesia, la ciudad y las naciones. Yo creo que muchos ataques no han llegado a mi vida porque ellos han intercedido, y los han roto en el espíritu antes de que lleguen. Como iglesia, también nos hemos parado en la brecha para orar contra huracanes que venían sobre nuestro Estado; algunos se han deshecho y otros se han desviado. También, hemos orado contra el proyecto de leyes contrarias a los valores bíblicos y éstas no han prosperado. Hemos orado para que los políticos corruptos no sean electos y no lo han sido. La intercesión del justo puede mucho.

¿Cuál es la clave más importante para que un intercesor sea efectivo?

La identificación

Para ser buenos intercesores, debemos identificarnos con el objeto de nuestra intercesión, como si nos estuviéramos parando en los zapatos de la otra persona. Veamos más ejemplos bíblicos:

Daniel

Este profeta se identificó con el pecado de su pueblo.

> *"⁴ Y oré a Jehová mi Dios e hice confesión diciendo: Ahora, Señor, Dios grande, digno de ser temido, que guardas el pacto y la misericordia con los que te aman y guardan tus mandamientos; ⁵ hemos pecado, hemos cometido iniquidad, hemos hecho impíamente, y hemos sido rebeldes, y nos hemos apartado de tus mandamientos y de tus ordenanzas."*
> *Daniel 9.4, 5*

Jesús

El hijo de Dios se identificó con nuestros pecados.

> *"²¹ Al que no conoció pecado, por nosotros lo hizo pecado, para que nosotros fuésemos hechos justicia de Dios en él."*
> *2 Corintios 5.21*

La identificación es esencial para ser efectivos a la hora de interceder por alguien o por alguna situación. La intercesión es, en lo espiritual, comparable a un parto en lo natural. El intercesor sufre dolores de parto para parir aquello que quiere traer del mundo espiritual al natural.

Dios trabaja a través de los intercesores

Jesucristo es el líder que vive para interceder por nosotros.

> *"²⁵...por lo cual puede también salvar perpetuamente a los que por él se acercan a Dios, viviendo siempre para interceder por ellos."*
> Hebreos 7.25

En este mundo, el Espíritu Santo nos ayuda a interceder por la perfecta voluntad de Dios para los santos. Los intercesores son los que traen el reino de Dios a la Tierra, colaboran con Dios y son usados por Él para salvar familias, naciones y ciudades.

¿Cuáles son las dos facetas más importantes de la intercesión?

La palabra **intercesión** tiene dos fases importantes reveladas en el significado de las palabras guerra y dolores de parto:

1. **Guerra** (palabras de violencia)

   Intercesión, en hebreo, es la palabra *"pagá"*, que significa golpear violentamente, golpear con un instrumento filoso; acometer, arremeter, levantarse en contra, ir con violencia contra algo. Está relacionada con la palabra que aparece en Efesios 6.12 (*"Nuestra lucha no es contra carne ni sangre..."*), que es contender y luchar. La intercesión es una guerra contra Satanás; es enfrentarse a él usando la espada del Espíritu. No es algo pasivo, como en Santiago 4.7 (*"resistid al diablo..."*); ponerse en contra, es un término militar.

2. **Dolores o labor de parto**. Es la traducción del griego *"sunodíno"*, que significa llamar la atención del rey por causa de otros, sufrir dolores de parto delante de Dios, sufrir con,

ponerse entre, encontrarse con, rogar, orar y correr a. Otro de sus significados está relacionado con el dolor y dar a luz; no es una emoción externa.

> *"⁸¿Quién oyó cosa semejante? ¿quién vio tal cosa? ¿Concebirá la tierra en un día? ¿Nacerá una nación de una vez? Pues en cuanto Sion estuvo de parto, dio a luz sus hijos. ⁹Yo que hago dar a luz, ¿no haré nacer? dijo Jehová. Yo que hago engendrar, ¿impediré el nacimiento? dice tu Dios."*
> *Isaías 66.8, 9*

¿Qué es la "carga" en la guerra?

La "carga" es un peso. Los profetas le llamaron "carga" a sus profecías porque debían darlas a luz en el Espíritu.

> *"Profecía sobre Babilonia, revelada a Isaías hijo de Amoz."*
> *Isaías 13.1*

En el Tabernáculo de David, estaba el maestro del cántico llamado *Quenanías*, quien llevaba la "carga". La carga a la que se refiere aquí es la profética, es la responsabilidad de desatar la voz de Dios sobre el pueblo. Esta carga toma el control y dirige o guía la conducta de quien la recibe. En el Nuevo Testamento, esta palabra también implica trabajo o servicio; es compartir el latir del corazón de Dios. Así le sucedió al apóstol Pablo, quien decía que la carga de las iglesias estaba sobre él.

Ilustración: Nehemías había recibido una carga por restaurar los muros caídos de Jerusalén.

> *"³Y me dijeron: El remanente, los que quedaron de la cautividad, allí en la provincia, están en gran mal y afrenta, y el muro de Jerusalén derribado,*

y sus puertas quemadas a fuego. [4] Cuando oí estas palabras me senté y lloré, e hice duelo por algunos días, y ayuné y oré delante del Dios de los cielos."

Nehemías 1.3, 4

¿Cómo recibimos esta carga?

"[28] Venid a mí todos los que estáis trabajados y cargados, y yo os haré descansar. [29] Llevad mi yugo sobre vosotros, y aprended de mí, que soy manso y humilde de corazón; y hallaréis descanso para vuestras almas; [30] porque mi yugo es fácil, y ligera mi carga."

Mateo 11.28-30

En estos versos, Jesucristo nos enseña que su carga es ligera; por lo tanto, no es algo que no podamos sobrellevar, ni es demasiado pesada. Es una carga del Espíritu de Dios y una indicación o un llamado a trabajar con Él como sus colaboradores, llevando la carga que siente en su corazón. En ningún modo, es algo destructivo o tan pesado o agobiante, que no podamos funcionar física, emocional o espiritualmente. He conocido intercesores que se quejan de continuo, diciendo que su trabajo es demasiado difícil. Pero la Escritura dice que esa carga es liviana; la sentimos, pero Dios nos ayuda a llevarla.

Entonces, veamos cómo se recibe una carga de Dios para interceder y dar a luz su voluntad en la Tierra:

• La carga viene como una impresión en nuestro espíritu, la cual es percibida por nuestras emociones. En cierto modo, puede molestar a nuestras emociones. Si entendemos esa señal, es tiempo de orar.

• La carga puede venir a través de señales o estímulos externos; por ejemplo: cuando leemos la Biblia u otro material, cuando escuchamos una prédica, o un profeta nos da una palabra profética. Si en ese momento, sentimos la necesidad de orar por ello, es que Dios nos ha dado una carga.

• La carga puede venir directamente del Espíritu Santo, pero es percibida por nuestras emociones. En algunos casos, los intercesores sienten dolores físicos –por ejemplo, en la cabeza, en la espalda, en el estómago–, y sienten los mismos síntomas que padece la persona por la cual Dios les ha puesto la carga. A veces, sienten tristeza, desasosiego mental y emocional, como una inquietud. Y es importante notar que no están ni han estado física o emocionalmente enfermos; sólo Dios les hace sentir el dolor o los síntomas de otro para que se puedan identificar por ellos e intercedan por su necesidad.

Ilustración: En los últimos meses, he tenido una carga por las elecciones para presidente de los Estados Unidos de América; y yo sé que viene del corazón de Dios. Tiene que ver con su forma de sentir y con los planes que tiene para esta nación. Por lo tanto, he estado orando sin cesar, con perseverancia, para que la voluntad del Padre se cumpla y para que su gobierno y su reino sean establecidos en este país. No he sido desobediente ni he ignorado la carga que Él me ha dado para esta temporada.

• La carga puede surgir cuando usted ve una gran carencia física, espiritual, emocional o material.

"36 Y al ver las multitudes, tuvo compasión de ellas;
porque estaban desamparadas
y dispersas como ovejas que no tienen pastor."
Mateo 9.36

Jesucristo vio la necesidad de las multitudes y tuvo compasión de ellas. Muchas veces, cuando yo veo las necesidades de las multitudes, de los niños, de las personas enfermas o de aquellos que no conocen a Jesús, siento la demanda en el corazón que me lleva a interceder por ellos. Así, también, le sucedió a Nehemías, que tan pronto le llegó el reporte negativo, comenzó a orar.

¿Cómo se descarga esa carga?

❖ **Intercediendo**

Cuando sentimos una carga de Dios, no podemos ignorarla o hacer otra cosa que no sea orar. Y no se trata de orar mañana o en una semana, sino de inmediato.

❖ **Cooperando con el Espíritu Santo**

No se resista al impulso del Espíritu Santo, que le demanda orar cuando recibe la carga. Muéstrese disponible para Él, de modo que pueda ser un instrumento útil en sus manos. Recuerde que Dios no hace nada en la Tierra si no es a través de un ser humano. Si el Espíritu Santo lo elige a usted, no se resista ni se demore.

Ilustración: En muchas ocasiones, Dios me ha puesto carga por la iglesia que pastoreo. A veces, me pone a orar por el liderazgo, porque el enemigo quiere atacarnos; pero una vez que he orado y he obtenido el rompimiento, viene la paz a mi corazón.

❖ **Perseverando el tiempo necesario para provocar un rompimiento en el mundo espiritual**

A veces, la carga no tiene un enfoque específico. De lo único que usted está consciente, es de que siente una carga divina. Algunas cargas se repiten, por ejemplo, interceder por una nación. Debemos orar mientras la carga esté sobre nosotros, teniendo en cuenta que algunas permanecen por largo tiempo. La intercesión debe continuar hasta que ocurra un rompimiento o una victoria en el Espíritu.

¿Cuáles son las señales de que ha habido un rompimiento?

Primeramente, un rompimiento es la llegada de la respuesta; es cuando se produce el milagro que transforma la situación y hace desaparecer la necesidad de orar. Una señal de que ha habido rompimiento, a veces se traduce en risa o gozo, otras veces, se siente que la carga se levantó; y otras, viene una gran paz al corazón, simplemente por saber que esa carga ya no está sobre nosotros, que la urgencia pasó y que Dios ya obró.

Si la carga tiene un enfoque específico, continúe derramando el corazón delante de Dios en intercesión, con su entendimiento, en lenguas, y clamando hasta que la carga se levante.

> *"²⁶Y de igual manera el Espíritu nos ayuda en nuestra debilidad; pues qué hemos de pedir como conviene, no lo sabemos, pero el Espíritu mismo intercede por nosotros con gemidos indecibles."*
> *Romanos 8.26*

Otro punto importante que debemos entender, es que las cargas son una voz de alarma que debemos atender. Vienen con una sensación de emergencia y con un temor de Dios que nos pone sobre aviso para que intercedamos. Por eso es importante no ignorarlas, porque puede tratarse de una razón de vida o muerte, una destrucción, una catástrofe para una ciudad, una nación o un individuo.

Ilustración: Conozco el caso de una madre que tenía un hijo apartado de Dios, por el cual ella oraba incesantemente. Un día, este hijo salió a pasear en bote con todos sus amigos. En la madrugada, la madre se levantó asustada, sentía una carga enorme con la necesidad imperiosa de orar por él. De inmediato, comenzó a interceder con todas sus fuerzas, declarando protección sobre su vida. El Espíritu Santo la tuvo orando alrededor de una hora y media, hasta que la carga se levantó de su corazón, y ya tranquila, volvió a dormir. Cuando se levantó por la mañana, llegó el hijo contándole que él y sus amigos casi mueren durante aquella noche. Le relató que su bote había estado a punto de hundirse en el mar debido a una gran tempestad; pero también, cómo de repente, en medio de la tormenta, cuando el peligro era inminente, sintió como si una mano los sacara de donde estaban y el bote apareció en otro lugar tranquilo y seguro. Entonces, la madre le preguntó a qué hora había ocurrido aquello. El muchacho le dijo que había sido alrededor de las tres de la madrugada, y ella le contó cómo el Espíritu Santo, a esa hora, la había despertado para orar por él y por sus amigos. Su intercesión salvó a los muchachos de una muerte segura.

En otro nivel, muchas naciones han sido liberadas de grandes desastres naturales porque hombres y mujeres, atentos a los impulsos del Espíritu, han obedecido e intercedido sin cesar, hasta lograr el rompimiento.

Cuando Dios pone estas cargas en nosotros, no podemos ignorarlas, obviarlas o rechazarlas porque pueden ser por un familiar, un hermano de la iglesia o un líder importante que está en peligro de vida o muerte. Tenemos que estar siempre disponibles para el Espíritu Santo, como hablamos al principio. Es igualmente importante añadir que, cuando Dios envía estas cargas, no se puede parar de interceder porque es como obedecer a medias y no cumplir el mandato completo.

Ilustración: En una oportunidad, hablé con una intercesora que tenía ochenta y dos años, que oraba de tres a cinco horas diarias. No sé si aún seguirá con vida, –porque no he vuelto a hablar con ella–. Pero sé que era una intercesora de crisis o de emergencias, si le podemos llamar así. En una conversación telefónica, me comentaba que ella le decía al Señor: "¿Por qué cuando termino de orar por una carga, de inmediato, tú me pones otra?", y la respuesta de Dios fue: "Tengo muchos intercesores nuevos que no perseveran hasta el final. Cuando les pongo una carga, unos no oran, otros lo hacen, pero no perseveran hasta alcanzar el rompimiento; pero tú sí. Cuando te doy una carga, intercedes hasta que te doy el rompimiento; y por medio de ti, Yo he salvado a muchas personas".

Ella cuenta que, en una oportunidad, se levantó a orar; sentía una carga, pero no sabía ni por quién era. Comenzó a interceder en el espíritu, en lenguas, y dice que estuvo en eso durante casi cuarenta y cinco minutos, hasta que, como a las dos de la madrugada, sintió un gran alivio. Con el tiempo, conoció a una hermana, cuyo esposo inconverso había tenido un accidente la noche que ella había estado orando. Este hombre le contó a su esposa que cuando estaba atrapado en el vehículo hecho pedazos, a punto de morir, alguien lo sacó de allí. De inmediato, él supo que había sido una intervención divina. Entonces, el Señor le dijo a la intercesora: "Por eso te pedí que oraras esa noche. Aunque no lo sabías, por tu oración, pude salvar a este hombre de que muriera sin Cristo". El hombre fue a la iglesia, recibió al Señor y fue lleno del Espíritu Santo, porque una intercesora se paró en la brecha, mostrándose obediente a Dios y disponible para trabajar con el Espíritu Santo.

Cada uno de nosotros debe cooperar, en oración, con aquellos que llevan una carga; debemos pegarnos a su lado y orar por ellos. Jesús les reclamó a sus discípulos que no pudieron orar ni una hora. Cuando Jesús más necesitaba la oración de sus discípulos, ellos le fallaron. La palabra de Dios dice que tenemos que llevarnos las cargas unos a otros. Es importante que ayudemos a otros a llevar su carga para que se haga más ligera y llevadera.

Otros aspectos importantes de parir en el Espíritu o sufrir los dolores de parto:

❖ **Parir en el Espíritu:** Es el acto de dar a luz la carga puesta por Dios en nuestro corazón.

La carga espiritual puede crecer dentro de nosotros o venir repentinamente mientras oramos. Puede que la persona no tenga muchas palabras para describir lo que está sintiendo, pero literalmente, sus emociones se ven sobrecogidas por la tristeza, la pesadez, el llanto o un gemido.

❖ **Gemir en el Espíritu:** Es sentirse acosado o en dificultades; suspirar por, desear con ansia, añorar, orar con dificultad de ser oído, orar inaudiblemente; llorar bajo mucho peso, expresar con voz quejumbrosa, decir o hablar, proferir entre gemidos.

> *"⁹ Y se levantó Ana después que hubo comido y bebido en Silo; y mientras el sacerdote Elí estaba sentado en una silla junto a un pilar del templo de Jehová, ¹⁰ ella con amargura de alma oró a Jehová, y lloró abundantemente. ¹¹ E hizo voto, diciendo: Jehová de los ejércitos, si te dignares mirar a la aflicción de tu sierva, y te acordares de mí, y no te olvidares de tu sierva, sino que dieres a tu sierva un hijo varón, yo lo dedicaré a Jehová todos los días de su vida, y no pasará navaja sobre su cabeza. ¹² Mientras ella oraba largamente delante de Jehová, Elí estaba observando la boca de ella."*
>
> *1 Samuel 1.9-12*

Ana oró con gemidos y lágrimas por su hijo. Los gemidos son el sonido del herido, y están ligados con el dar a luz, con expresar ciertos sonidos que no se pueden sacar en palabras.

"26 Y de igual manera el Espíritu nos ayuda en nuestra debilidad; pues qué hemos de pedir como conviene, no lo sabemos, pero el Espíritu mismo intercede por nosotros con gemidos indecibles."
Romanos 8.26

Jesús gimió en el Espíritu

"38 Jesús, profundamente conmovido otra vez, vino al sepulcro. Era una cueva, y tenía una piedra puesta encima."
Juan 11.38

La palabra **gemir**, literalmente, significa sentir una ira interna, una fuerte indignación. Por supuesto, esto se refería a que Cristo estaba indignado contra el diablo, contra el pecado y contra el espíritu de muerte.

❖ **El llanto o vertirse en lágrimas:** Jesucristo lloró sobre Jerusalén; su ferviente oración fue acompañada con lágrimas.

"7 Y Cristo, en los días de su carne, ofreciendo ruegos y súplicas con gran clamor y lágrimas al que le podía librar de la muerte, fue oído a causa de su temor reverente."
Hebreos 5.7

Pablo, también, estaba familiarizado con las lágrimas.

"19 ...sirviendo al Señor con toda humildad, y con muchas lágrimas, y pruebas que me han venido por las asechanzas de los judíos..."
Hechos 20.19

La palabra de Dios dice que nuestras lágrimas son tan valiosas que se almacenan en el Cielo.

*"8 Mis huidas tú has contado; pon mis lágrimas
en tu redoma; ¿no están ellas en tu libro?"*
Salmos 56.8

❖ **Aflicción con llanto:** Éste es otro aspecto del nivel de la intercesión. Jesucristo dijo que los que lloran son bienaventurados.

*"4 Bienaventurados los que lloran,
porque ellos recibirán consolación."*
Mateo 5.4

Gemir con llanto, generalmente, está asociado con la muerte. Jesús promete que nosotros seremos bienaventurados y recibiremos recompensa si gemimos con llanto por aquellas almas que no conocen a Cristo, las cuales se pierden y se van a la muerte eterna en el Infierno.

❖ **Ayuno:** También vemos, simbólicamente, en el libro de Nehemías, cómo el profeta tuvo un acto de aflicción y humillación, y decidió declarar ayuno delante de Dios por Jerusalén y por su pueblo.

Es importante notar que los dolores de parto o el parir en el Espíritu es entrar en los sufrimientos de Cristo; por tanto, son parte de la vida cristiana. Nosotros estamos invitados a compartirlos con Él.

*"10 ...a fin de conocerle, y el poder de su resurrección,
y la participación de sus padecimientos,
llegando a ser semejante a él en su muerte..."*
Filipenses 3.10

Si queremos participar del poder de la resurrección de Jesús, tenemos que compartir también sus sufrimientos. Gemir por otros o parir en el Espíritu, es parte de ellos. ¡Qué poderoso!

Los propósitos de Dios son dados a luz a través de sufrir dolores de parto

- Dios mandó la lluvia

> *"42 Acab subió a comer y a beber. Y Elías subió a la cumbre del Carmelo, y postrándose en tierra, puso su rostro entre las rodillas."*
> *1 Reyes 18.42*

Elías tuvo que orar, fervientemente, para dar a luz la lluvia.

- Jesús dio a luz a una nueva generación cuando oró en el huerto de Getsemaní.

> *"44 Y estando en agonía, oraba más intensamente; y era su sudor como grandes gotas de sangre que caían hasta la tierra."*
> *Lucas 22.44*

Él oró, dio a luz, produjo lo que estaba en el corazón del Padre a través de su enorme intercesión; para esto, dice la Biblia, que se entregó hasta derramar lágrimas de sangre. Así de intensa era su intercesión; pues lo que estaba dando a luz, era una nueva generación.

La intercesión de guerra también es llamada guerra espiritual y es un tema muy controversial. Satanás ha querido que tengamos una confusión acerca del tema, y no le gusta que se enseñe o se discuta. Además, se han dado muchos extremos en el área de la intercesión y la guerra espiritual. Hay quienes comenzaron la guerra sin ninguna dirección de Dios y sin tener una cobertura o estar bajo autoridad, y han terminado en derrota. Sin embargo, la Biblia ordena que la guerra se haga con sabiduría; por lo tanto, sí podemos hacer guerra espiritual, y sí tenemos la autoridad dada por Dios, siempre y cuando cumplamos los requisitos para ser guerreros y observemos los códigos de guerra de la palabra de Dios.

Hay enseñanzas diversas y contrarias con respecto a este tema. Están aquellos que piensan que no debemos entrar en guerra espiritual, que no podemos enfrentarnos a las potestades de Satanás; están los que creen que sí, hacen una gran bulla, pero no tienen ningún efecto o impacto en su comunidad ni en su nación. Cada uno de ellos tiene una falsa teoría, pues nosotros como ministerio, somos un testimonio vivo de la efectividad de la guerra espiritual realizada del modo apropiado. Hemos logrado muchísimas victorias y avances en nuestra iglesia como producto de haber sabido hacer la guerra espiritual correctamente.

¿Cómo debemos implementar la victoria de Cristo?

La palabra de Dios ya da por sentado que Cristo fue crucificado, murió y resucitó al tercer día, y que en los Cielos, la victoria ya fue declarada. De allí, se deriva la importancia de que Dios encuentre un hombre disponible, un intercesor en la Tierra que ejerza la victoria de Cristo dictaminada en los Cielos. Dios no hará nada hasta que un hombre se envuelva e implemente, en lo natural, lo que Él ya hizo en el Espíritu, de manera que se materialice en la Tierra.

"12 Desde los días de Juan el Bautista hasta ahora, el reino de los cielos sufre violencia, y los violentos lo arrebatan."
Mateo 11.12

¿Quiénes son los hombres que implementan la victoria de Cristo?

❖ Los valientes

Aquellos que son inspirados por la violencia; pero no una violencia física sino una espiritual, para establecer el reino de Dios en la Tierra.

❖ Los de espíritu guerrero

Parte de ser creado a la imagen de Dios, es tener un espíritu guerrero.

> *²⁸Y los bendijo Dios, y les dijo: Fructificad y multiplicaos; llenad la tierra, y sojuzgadla, y señoread en los peces del mar, en las aves de los cielos, y en todas las bestias que se mueven sobre la tierra."*
>
> *Génesis 1.28*

La palabra **sojuzgar** significa pisar, pisotear, abrumar, subyugar, aplastar, oprimir, tener dominio, prevalecer en contra de, reinar, gobernar. La palabra **señorear** significa someter, sojuzgar, avasallar, conquistar, dominar, domar, amansar, reprimir, despedazar y sujetar.

La voluntad de Dios es derrotar totalmente al enemigo. Él hizo la primera parte, y a nosotros nos corresponde la segunda. Nuestra relación con Él requiere que compartamos la misma meta y participemos en ejecutar el juicio que fue escrito. Tenemos que ser guerreros, ponernos toda la armadura de Dios, estar firmes, luchar, orar y siempre estar en guardia contra las asechanzas del diablo. Cristo logró la victoria y el príncipe de este mundo fue derrotado.

Jesucristo destronó a los principados y las potestades, y los exhibió públicamente.

> *¹⁵...despojando a los principados y a las potestades, los exhibió públicamente, triunfando sobre ellos en la cruz."*
>
> *Colosenses 2.15*

Jesús venció al que tenía el Imperio de la Muerte.

¹⁴Así que, por cuanto los hijos participaron de carne y sangre, él también participó de lo mismo, para destruir por medio de la muerte al que tenía el imperio de la muerte, esto es, al diablo..." Hebreos 2.14

Jesucristo fue sentado sobre todo principado, sobre todo dominio y sobre todo señorío, y sólo espera poner a Satanás debajo de nuestros pies.

"21 ...sobre todo principado y autoridad y poder y señorío, y sobre todo nombre que se nombra, no sólo en este siglo, sino también en el venidero; 22 y sometió todas las cosas bajo sus pies, y lo dio por cabeza sobre todas las cosas a la iglesia..."
Efesios 1.21, 22

Dios está esperando que cada uno de nosotros se levante como guerrero para ejercer dominio y señorío. Desde un principio, fuimos creados para gobernar con ese poder. Por lo tanto, por medio de la fe, tomemos autoridad, pongámonos en la brecha y seamos atalayas de Dios, aquellos que suenan la alarma cuando ven venir el peligro. Seamos quienes se paran en la brecha por otros, seamos aquellos individuos que le piden a Dios que nos ponga carga por nuestras familias inconversas, por las miles de personas que no conocen a Cristo y que son enviadas al Infierno diariamente; que Dios nos dé carga por nuestras naciones, por los gobernantes impíos, e intercedamos ante Él para que asigne hombres justos y sabios como cabeza de nuestras naciones.

La intercesión es parir en el espíritu, dar a luz los planes y los propósitos de Dios. Si entendemos esta verdad que, en sí, es la esencia de nuestra creación, debemos decir: "Señor, usa mi cuerpo para entrar en la guerra, para que el Espíritu Santo, a través de mí, pueda cumplir toda tu voluntad con nosotros. ¡En el nombre de Jesucristo!".

CAPÍTULO IX

De niños
a guerreros

En las Escrituras, hay diez palabras griegas que describen la relación entre padres e hijos, y todas ellas representan el desarrollo espiritual de las diferentes etapas del creyente. El propósito principal de Dios es que todo niño espiritual que entra a su reino, crezca y madure hasta convertirse en un guerrero para establecer su gobierno en la Tierra. La Biblia nos enseña que cuando Cristo vino, fue el primer hombre en establecer el gobierno divino por la fuerza, como un guerrero. Cada vez que nosotros predicamos y establecemos el Reino en un lugar, estamos haciendo una abierta declaración de guerra al enemigo. Dicho esto, demás está aclarar que debemos estar listos para pelear. No espere que el enemigo se quede cruzado de brazos mientras usted le quita el territorio que él tenía usurpado.

Nosotros fuimos creados a imagen y semejanza de Dios, quien nos dio ese espíritu de guerreros porque Él mismo es varón de guerra. Hoy en día, vivimos en una sociedad que ha perdido ese espíritu, y como resultado, también hemos visto perderse muchos valores; hemos visto entrar la inmoralidad sexual y muchas otras cosas malas en nuestras comunidades. Esto ha sucedido porque nadie ha tomado ese espíritu de guerra para pararse a resistir los cambios negativos, ni para pelear contra el diablo y sus potestades. El reino de las tinieblas gobierna en la Tierra porque los hijos del Dios Todopoderoso no han ejercido su derecho a reinar, ni han establecido el reino que les dio este derecho. Satanás fue juzgado y vencido por Jesús, pero nosotros debemos hacer efectiva esa victoria en la Tierra.

En nuestras ciudades y alrededor de todo el mundo, hay una intensa actividad demoníaca, y como líderes del reino de Dios, tenemos que entrenar al pueblo para guerrear contra ella. En capítulos anteriores, comentamos que muchas personas entran en la guerra espiritual sin haber aprendido a ser hijos del Padre celestial. Esto no sólo causa que seamos inefectivos en la batalla, sino que trae consecuencias o fatalidades muy fuertes. La clave para llegar a ser un guerrero del Reino, es entender y conocer la paternidad de Dios y la revelación de ser sus hijos. Los hombres que conocieron esto, como fue el caso de Juan y el de Pablo, se convirtieron en guerreros, logrando así tomar por la fuerza, ciudades y territorios para el Reino.

A continuación, vamos a hablar de los seis niveles de madurez natural, aplicables al plano espiritual, y de los tipos de hijos, según el nivel en que estén:

1. *"Bréfos"*: Es un infante no nacido. Literalmente, significa niñez, criatura, niño, un bebé que todavía está en el vientre de su madre o que acaba de nacer y se alimenta de su seno.

    Es interesante saber que, ante los ojos de Dios, no hay diferencia entre un feto que está en el vientre de su madre y un bebé que mama el pecho; matar un bebé en el vientre es tan asesinato como matarlo recién nacido. Pero muchos consideran el segundo un asesinato terrible, y el primero no; para ellos, ése está bien. En la sociedad corrupta en que vivimos, matar a un ser humano en el vientre de su madre, es el "derecho" de la mujer sobre su cuerpo. Claro, los derechos del bebé, en ese momento, parecen no existir. Pero ante los ojos de Dios, es tan asesinato lo uno como lo otro.

2. *"Népios"*: Es un bebé o un infante, un menor que todavía no habla; es un niño pequeño en pañales, que camina tambaleándose y balbuceando. Grita y llora cuando tiene una necesidad, pero no sabe valerse por sí mismo. Cuando tiene hambre o sed, no busca su propia comida, sino que llama al padre o a la madre para que lo alimente. Si ensucia sus pañales, espera que mamá o papá lo limpie. Eso está bien

para un recién nacido, pero usted no quiere un hijo de veinte años que se porte de esa manera. Y lo mismo sucede en el plano espiritual.

El *"népios"* es un niño bebé, de catorce a veinte meses, que todavía no habla bien. Éste representa a un cristiano que sólo puede beber la leche de la Palabra, por ejemplo: amor incondicional, perdón, comodidad, aceptación, pero no ingiere alimentos sólidos. Todavía no puede tomar la carne de la Palabra, la cual lo lleva a madurar; por ejemplo, todo lo que hable de disciplina, corrección, represión, servicio, compromiso. Como resultado, el cristiano y la iglesia se mantienen en un estado de permanente niñez espiritual. Tenemos que sacarle el biberón y llevarlo a comer carne, y después, enseñarle a valerse por sí mismo.

¿Por qué tenemos tantos niños o bebés espirituales? A veces, los pastores generan este tipo de creyentes enanos; otras veces, es la misma gente, como ocurrió con los corintios, que nunca maduraron. A pesar de que Pablo les dio todo el consejo de Dios, ellos permanecieron niños.

> *"De manera que yo, hermanos, no pude hablaros*
> *como a espirituales, sino como a carnales,*
> *como a niños en Cristo.* ^{2} *Os di a beber leche,*
> *y no vianda; porque aún no erais capaces,*
> *ni sois capaces todavía,* ^{3} *porque aún sois carnales;*
> *pues habiendo entre vosotros celos, contiendas*
> *y disensiones, ¿no sois carnales,*
> *y andáis como hombres?"*
> *1 Corintios 3.1-3*

Pablo les dice: "Yo todavía tengo que darles leche porque no pueden recibir la carne –la escupen, no la pueden masticar–; en otras palabras, no se les puede llevar a ser guerreros, no pueden tomar la ciudad, no pueden sanar a los enfermos, tampoco pueden predicar la Palabra porque sólo están esperando que se les consuele, que se les anime, que se les ayude".

Es posible que un individuo sea un bebé, pero también es posible que toda una iglesia esté en la etapa de la total inmadurez, y que no tenga ningún impacto en la sociedad, como ocurrió con la iglesia de Corinto.

3. *"Paidíon"*: Es un niño de entre tres a doce años. Es un infante, un muchacho, que representa a un cristiano inmaduro, niño. Esta palabra, *"paidíon"*, viene del verbo *"paideúo"*, que significa adiestrar a un infante, golpear una vez con la mano o instrumento sin punta para corregir o disciplinar. *"Paidíon"* describe a un niño de tres a doce años que está siendo entrenado para ser obediente, diligente y respetuoso a la autoridad. En la Antigüedad, las familias de más dinero delegaban esta responsabilidad a un siervo de la casa, en quien tenían mucha confianza. Éste era un *"paidagogós"*, un tutor o maestro, ayo o líder de un muchacho. Si usted nota, es bíblico castigar y amonestar a nuestros hijos, no con el propósito de descargar nuestra ira, sino con el de corregirlos en amor.

Eso mismo hace el Padre celestial con nosotros para llevarnos a la obediencia, porque nos ama. Si yo soy padre espiritual, tengo que seguir los mismos principios de mi Padre celestial. Hay un período en que los niños deben aprender que es doloroso desobedecer, tanto a Dios como a los padres naturales, ya que trae consecuencias dolorosas. Ellos deben entender que es apropiado someterse a la autoridad, como principio básico de las leyes del reino de Dios.

Lo más importante que buscamos con esto es cambiar la actitud de los niños espirituales; porque si obedecen exteriormente, pero no de corazón, entonces estarán en rebeldía. Por otro lado, cuando el niño, queriendo hacer lo bueno de corazón, se equivoque en los hechos –aunque la acción externa sea errada–, no se debe castigar.

Ilustración: Cierta vez, un niño tomó los zapatos de su mamá porque como estaba nevando, se habían llenado de nieve, y se habían congelado. Con el ánimo de atender a su madre, el niño quiso derretir la nieve sometiendo los zapatos al calor. Los puso en el horno... y los quemó. Su intención nacía del amor y su actitud fue pura; su acción fue incorrecta, y su madre lo castigó. Pero esta acción, no merecía castigo, sino instrucción.

Cuando un niño *"paidíon"* llega a los trece años, el castigo con vara deber haber terminado, pues ya conoce lo bueno y lo malo, y se puede razonar con él. Tiene que haber llegado a entender que es bueno obedecer a sus padres y a todas las autoridades que están sobre su vida.

¿Quiénes son los hijos naturales y espirituales obedientes de corazón?

"12 Por tanto, amados míos, como siempre habéis obedecido, no como en mi presencia solamente, sino mucho más ahora en mi ausencia, ocupaos en vuestra salvación con temor y temblor..."
Filipenses 2.12

Los hijos obedientes de corazón son aquellos que obedecen a sus padres cuando están presentes, pero más aún cuando están ausentes.

4. ***"Téknon":*** Es un hijo adolescente de trece a diecinueve años en lo natural. Es un joven que todavía necesita entrenamiento, dirección, pero rara vez necesita corrección. Éste ya ha aceptado los principios de obediencia, diligencia y sumisión a la autoridad. *"Téknon"* es, en ocasiones, traducido como hijo espiritual; es decir, hombre o mujer de cualquier edad que sirve al padre espiritual como hijo, tiene su ADN y lo representa en espíritu y en fidelidad. En otras palabras, *"téknon"* es uno que ha aprendido los principios de obediencia

y no hay que darle con la vara, pero su madurez aún está en proceso. Todavía es inmaduro, y necesita instrucción y disciplina para alcanzar el nivel de madurez total.

¿Cómo se disciplinan los *"téknon"* en lo natural y en lo espiritual?

Los hijos *"téknon"* se disciplinan con la palabra de Dios. Nótese que Pablo tenía muchos hijos espirituales, pero usa la palabra *"téknon"* sólo para referirse a Timoteo, Tito y Epafrodito. Ya Pablo no habla de darles con vara sino con la Palabra porque son hijos que han alcanzado un nivel mayor de madurez.

El apóstol no está llamado a lidiar con bebés espirituales sino con jóvenes espirituales de gran potencial, para llevarlos a la madurez en su ministerio. Él fue asignado a entrenar a aquellos que ya han aprendido los principios de la autoridad, la obediencia y la sumisión, que los tienen establecidos en su corazón, que obedecen de inmediato cuando él les da una palabra de parte de Dios o una orden de trabajo ministerial. Para esto, ya deben haber superado las etapas primarias, de la leche y la vara.

Ilustración: Hay gente que me dice: "Yo quiero que seas mi padre espiritual", pero puedo darme cuenta de que lo que en verdad quieren, es que yo les limpie los pañales y les dé siempre el "tete". Realmente, no tengo tiempo para ellos. Son muy pocos los hijos a los que puedo darles paternidad de una manera íntima, y éstos deben ser cristianos maduros, que busquen crecer y extender el Reino.

5. *"Juíos"*: Es el hijo maduro. Esta palabra fue usada para describir al Señor Jesús como hijo del Padre celestial, y tiene tres dimensiones específicas. *"Juíos"* es traducido al español como hijo en todas las traducciones, excepto en algunas versiones de la Reina Valera, donde se usa erróneamente la palabra

niño. Ninguna traducción reciente, incluyendo la de Reina Valera, usa esta palabra. *"Juíos"* es la única utilizada para describir a Jesús como el hijo de Dios o el hijo del Hombre. En el Nuevo Testamento, en algunos lugares, es traducido como "heredero". En lo natural, ésta es la palabra específica tomada para describir a una persona joven, sea varón o mujer. Las tres dimensiones específicas de su significado son las siguientes:

- **Madurez.** *"Juíos"* es una persona que ha alcanzado una madurez adulta y completa. En la cultura bíblica, esto indica una edad que ronda los treinta años. En este punto, un joven era aceptado como adulto, completamente crecido, y adquiría todos sus derechos como ciudadano, tales como: el derecho a votar y a sentarse en el concilio de liderazgo y aun en el Sanedrín. Este cumpleaños era considerado de gran importancia.

- **Parecido o semejanza con el padre.** En el proceso de crecimiento hasta la madurez de un adulto, el *"juíos"* era reconocido como uno que se parecía a su padre. Jesús, el hijo perfecto, dijo: "si me has visto a mí, has visto al padre. Yo y mi padre somos uno".

- **Listo para recibir la herencia.** Quizás, ésta sea la dimensión mayor de esta palabra. Cuando un hijo era declarado *"juíos"*, recibía la parte de la herencia que le correspondía de la fortuna paterna. Y esto no era después de la muerte del padre, sino cuando el hijo cumplía los treinta años. Esto se aplicaba a los hijos naturales, tanto como a los adoptados. Después de servir al padre, fielmente, por treinta años, agradándolo y obedeciéndole en todo, los *"juíos"* tenían derecho a recibir su herencia.

Cuando el padre decidía criar hijos, tenía la opción de designar a uno de ellos como heredero; él lo escogía. Pero antes de que eso sucediera, los hijos tenían que servirle fielmente y en sumisión. Todos nuestros hijos, naturales y espirituales, deben conocer estos principios. Muchos de ellos quieren la herencia sin servir al padre, pero el asunto no funciona así.

> *"14 Porque todos los que son guiados por el Espíritu de Dios, éstos son hijos de Dios."*
> Romanos 8.14

¿Cómo llegamos a ser *"juíos"* de Dios o hijos maduros?

Llegamos a ser hijos maduros por medio de la fe.

> *"26 ...pues todos sois hijos de Dios por la fe en Cristo Jesús..."*
> Gálatas 3.26

Jesús tuvo que ganarse ese derecho por medio de la ley, y lo hizo con su fe; y además, preparó el camino para que nosotros también fuéramos hijos de Dios por medio de la fe. En la Antigüedad, para que un hijo llegara a recibir su herencia, tenía que esperar a cumplir treinta años; hoy en día, después de lo que Cristo hizo en la cruz del Calvario, ya no es un asunto de edad, sino de madurez. Cuanto más rápido maduramos, más rápido el Padre nos da la herencia que nos pertenece.

Hay dos tipos de herencia dada a los hijos de Dios:

- Una herencia material
- Una herencia espiritual

> *"2 ...sino que está bajo tutores y curadores hasta el tiempo señalado por el padre."*
> Gálatas 4.2

Ilustración: Uno de estos días, un programa de televisión mostraba a una de las hijas del rey de España, en la escuela con sus compañeritas. Entonces, comencé a imaginarla jugando, corriendo con el resto de las niñas. Ninguna de esas niñas que juegan con ella, ni ella misma, tienen conciencia de que es una heredera real, una princesa, la heredera del trono del rey Juan Carlos. Ella se comporta con la inmadurez típica de una niña que aún no sabe quién es. No hay ninguna diferencia entre ella y cualquier otro niño corriente. Así es en el espíritu, muchos cristianos se comportan como niños porque todavía no saben que tienen una gran herencia, un gran propósito y un enorme potencial dado por Dios para tener éxito en esta vida.

Dios no puede desatar grandes bendiciones y prodigios sobre nosotros hasta que maduremos; Él no puede confiarnos sus bienes y riquezas mientras sigamos comportándonos como niños.

Otra razón por la cual muchos creyentes no reciben su herencia, ni ven a Dios trabajar en su familia, es que no están en una correcta relación con el Padre, aunque son sus hijos. Es posible ser un hijo de Dios y nunca llegar a recibir la herencia, porque para ello, hay que llegar a ser un hijo maduro.

¿Cuáles son los efectos de llegar a la madurez espiritual?

- Los hijos saben vivir en autoridad sobre el diablo, los bebés son vencidos por él.

- Los hijos maduros reciben su herencia, los bebés ni siquiera saben que tienen una.

Llegar a ser un hijo maduro no tiene que ver con el tiempo, como dijimos antes. Hay gente que ha estado en la iglesia por cuarenta años, y todavía es un bebé espiritual; mientras, otros han crecido tan rápido que, en un período de seis meses a seis años, han madurado más que los anteriores en toda una vida.

Ilustración: Imagine usted al hijo de un rey que camina por su palacio, pero todavía no sabe hablar; sólo balbucea, no sabe quién es. Es el único hijo del rey, es el heredero de todo el Reino, pero como es niño, no puede entenderlo. Ahora, imagine que el jardinero del palacio está allí, con su hijo, y éste se pone a jugar con el hijo del rey. Usted no puede diferenciar cuál es cuál. Los dos juegan con tierra, con carritos, se pelean por los juguetes, por cosas tontas. El hijo del rey puede comprar mil juguetes si quiere, pero él no lo sabe y se pelea con el otro niño por un carrito. Así son los bebés espirituales, el mundo se les viene abajo cuando no se les promociona, cuando no se les menciona; se colapsan cuando alguien les raya el automóvil nuevo, se pelean con todos en la iglesia; reaccionan como niños, como lo hacían en el mundo. Usted no puede distinguir entre el hijo del rey y el esclavo porque el primero no sabe quién es, aunque en potencia es el dueño de todo.

Ilustración: Imagine que le entregan una carta que certifica que su abuelo ha dejado quinientos millones de dólares a su nombre como herencia, y usted bota la carta y pierde el código para cobrarlos. Ahora se queda sin la fortuna porque no sabe cómo acceder a ella, cómo cobrarla. Aunque sea dueño de una inmensa fortuna, nunca podrá disfrutarla. Está a su nombre, nadie se la quita, pero usted no la disfruta. Prefiere vivir de un salario, antes que buscar el código, antes que pagar el precio de llegar hasta su herencia.

Las mismas limitaciones que tiene un bebé, las tiene un creyente inmaduro: falta de identidad, miedo, baja autoestima, inseguridad, etcétera. ¿Qué saben hacer los bebés? Ellos sólo saben llorar, no se pueden alimentar por sí mismos. Usted tiene que buscar el biberón, consolarlos y alimentarlos, vestirlos y cuidarlos en todo momento.

6. **"Neanískos":** Es el hijo guerrero. Es un joven, hombre o mujer, menor de cuarenta años, que ya ha pasado la etapa de

"juíos" o hijo maduro. Conoce la palabra de Dios, usa el poder contra el diablo efectivamente, y ha trabajado en la guerra espiritual, ha vencido al maligno. Esta palabra está conectada de cerca con *"nik"*, que significa victoria, conquista, y con el verbo *"Nikao"*, que significa vencer la oposición.

> *"¹²Os escribo a vosotros, hijitos, porque vuestros pecados os han sido perdonados por su nombre.*
> *¹³Os escribo a vosotros, padres, porque conocéis al que es desde el principio. Os escribo a vosotros jóvenes, porque habéis vencido al maligno.*
> *Os escribo a vosotros, hijitos, porque habéis conocido al Padre.*
> *¹⁴Os he escrito a vosotros, padres, porque habéis conocido al que es desde el principio.*
> *Os he escrito a vosotros, jóvenes, porque sois fuertes, y la palabra de Dios permanece en vosotros, y habéis vencido al maligno."*
>
> *1 Juan 2.12-14*

Juan les habla a los jóvenes que han vencido al maligno, que han alcanzado la madurez, pero que, también, se han convertido en guerreros, que han vencido en la batalla.

Las recompensas y galardones del reino de Dios se dan por la felicidad y por las batallas ganadas en el espíritu.

Las aplicaciones espirituales de esto son maravillosas, amplias y excitantes. El evangelio y la primera carta de Juan fueron escritos para equipar a una nueva generación de cristianos con lo necesario para batallar efectivamente contra los grandes principados demoníacos de las diosas griegas *Diana y Artemis*.

En aquel tiempo, la sabiduría del guerrero se alcanzaba alrededor de los treinta o cuarenta años. En el mundo espiritual, se alcanza por fe, pero también por las batallas libradas. En su carta, Juan se dirige a los jóvenes, como "jóvenes valientes";

éstos son los discípulos que están listos para tomar la ciudad de Éfeso. Nosotros tenemos que llegar a ser *"neaniskos"*, jóvenes guerreros valientes, sabios, obedientes, listos para la batalla.

La razón por la cual están listos, es que son fuertes en la Palabra y han vencido al maligno. Juan les habla a jóvenes que tenían mucha sabiduría para hacer la guerra; es decir, tenían la juventud y la sabiduría combinadas; habían conquistado, habían vencido muchas veces, ya tenían jinetas o barras, tenían estrellas y condecoraciones en su uniforme de soldados de Cristo. Si hubieran sido *"népios"*, *"paidíon"* o *"téknon"*, Juan no los hubiera podido llevar a la guerra. Juan entrenó *"neaniskos"* para tomar Éfeso.

Permítame hacerle algunas preguntas: ¿Quiere usted madurar de *"népios"* a *"neaniskos"*? ¿Quiere recibir la corrección de su padre espiritual? ¿Está dispuesto a aceptar el desafío que cada una de estas etapas le plantea? ¿Quiere cruzar la línea de ser bebé a ser hijo maduro, a ser guerrero para el Señor? Con los bebés, infantes o adolescentes, no se puede llevar adelante una visión, no se puede tomar una ciudad, ni establecer el Reino en la Tierra. Necesitamos hijos maduros que puedan convertirse en guerreros.

7. *"Patér"*: Es el hijo que llega a ser padre. La voluntad de Dios es llevarnos a ser guerreros, pero también, después de que hemos ganado las luchas y batallas espirituales, necesitamos un corazón paternal para transmitir y transferir la unción y la experiencia acumuladas –con los años y en el espíritu– a nuestros hijos. Tenemos que desarrollar y levantar a otros, llevarlos desde la niñez espiritual hasta llegar a ser *"neaniskos"* y *"patér"*, de modo que continúen el ciclo de bendición para sus próximas generaciones.

En su carta, Juan menciona primero a los jóvenes valientes, y luego a los padres, estableciendo o dando a entender que la voluntad de Dios no sólo es formar guerreros sino también padres espirituales.

¿Por qué Dios desea que los hijos lleguen a ser padres?

- Uno de los propósitos por los cuales Dios está levantando padres espirituales, es transmitir la correcta bendición generacional, para duplicar la unción sobre la próxima generación y aumentar la medida de su don.

- El nivel se deteriora si cada generación tiene que encontrar su propio camino; todos los errores serán repetidos y no se producirá un avance sustancial.

- La paternidad espiritual es el método bíblico para producir ministerios poderosos que crecen de continuo y se desarrollan por completo.

- El *currículum* para llegar a ser padres, es conocer a Dios y todos sus caminos.

- En los próximos años de ministerio, si hemos aprendido la lección, todos podremos calificar para ser padres.

Amigo lector, le invito hoy a tomar la decisión de comprometerse a cruzar la línea de niño a guerrero. Lo desafío a dejar de ser un bebé espiritual, abandonando ya los rudimentos de la Palabra, para comenzar a recorrer el camino de la madurez, y convertirse en un guerrero del Reino, capaz de las mayores conquistas. Más aun, lo desafío a dejar que Dios transforme su corazón de tal manera que su paternidad pueda fluir a través de usted y pueda dar a luz y formar a muchas generaciones de *"neaniskos"*. Si acepta el desafío, su vida estará llena de retos, encontrará grandes obstáculos y trampas del enemigo que deberá sortear, habrá momentos en que sienta la soledad y el abandono, pero nada de eso se comparará con el dulce sabor de las victorias que Dios le tiene preparadas, ni con la satisfacción de ver el Reino establecido en su ciudad y en su nación. Él tiene listas las ciudades para entregarlas en sus manos. Satanás está vencido, listo para que usted aplaste su cabeza. Los principados de las tinieblas saben que si usted avanza como guerrero del Reino y conoce sus armas y su herencia, deben salir huyendo. Y por propia experiencia, le digo que no hay nada que se compare a la satisfacción de ver cómo nuevos hijos maduros crecen bajo sus alas paternales para convertirse en guerreros útiles en el reino de Dios.

BIBLIOGRAFÍA

Biblia de Estudio Arco Iris. Versión Reina-Valera, Revisión 1960, Texto bíblico copyright© 1960, Sociedades Bíblicas en América Latina, Nashville, Tennessee. ISBN: 1-55819-555-6

Biblia Plenitud. Versión Reina-Valera, revisión 1960, Editorial Caribe, Miami, Florida. ISBN: 089922279X

Diccionario Español a Inglés, Inglés a Español. Editorial Larousse S.A., impreso en Dinamarca, Núm. 81, México, ISBN: 2-03-420200-7. ISBN: 70-607-371-X, 1993

El Pequeño Larousse Ilustrado. 2002 Spes Editorial, S.L. Barcelona; Ediciones Larousse, S.A. de C.V. México, D.F. ISBN: 970-22-0020-2.

Expanded Edition the Amplified Bible. Zondervan Bible Publishers., 1987 – Lockman Foundation, USA. ISBN: 0-31095168-2

Reina-Valera 1960, Copyright © 1960 Sociedades Bíblicas en América Latina; Copyright © renovado 1988, Sociedades Bíblicas Unidas.

Strong James, LL.D, S.T.D., *Concordancia Strong Exhaustiva de la Biblia,* Editorial Caribe, Inc., Thomas Nelson, Inc., Publishers, Nashville, TN - Miami, FL, EE.UU., 2002. ISBN: 0-89922-382-6

The New American Standard Version. Zordervan Publishing Company. ISBN: 0310903335

The Tormont Webster's Illustrated Encyclopedic Dictionary. ©1990 Tormont Publications.

Vine, W.E. *Diccionario Expositivo de las Palabras del Antiguo Testamento y Nuevo Testamento.* Editorial Caribe, Inc./División Thomas Nelson, Inc., Nashville, TN, 1999. ISBN: 0-89922-495-4

Ward, Lock A. *Nuevo Diccionario de la Biblia.* Editorial Unilit: Miami, Florida, 1999. ISBN: 0-7899-0217-6

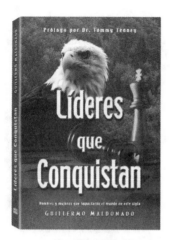
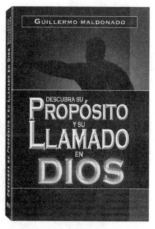

NUESTRA VISIÓN

ERJ Publicaciones

...expandiendo la palabra de Dios
a todos los confines de la tierra

**FUNDAMENTOS BÍBLICOS
PARA EL NUEVO CREYENTE**
Apóstol G. Maldonado
ISBN-10: 1-59272-005-6
ISBN-13: 978-1-59272-005-7

EL PERDÓN
Apóstol G. Maldonado
ISBN-10: 1-59272-033-1
ISBN-13: 978-1-59272-033-0

LA ORACIÓN
Apóstol G. Maldonado
ISBN-10: 1-59272-011-0
ISBN-13: 978-1-59272-011-8

**LA GENERACIÓN
DEL VINO NUEVO**
Apóstol G. Maldonado
ISBN-10: 1-59272-016-1
ISBN-13: 978-1-59272-016-3

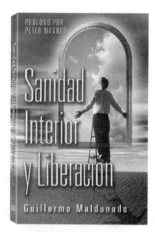

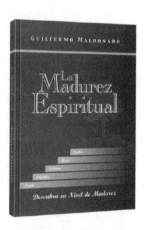

 ERJ Publicaciones

NUESTRA VISIÓN

...expandiendo la palabra de Dios a todos los confines de la tierra

CÓMO OÍR LA VOZ DE DIOS
Apóstol G. Maldonado
ISBN-10: 1-59272-015-3
ISBN-13: 978-1-59272-015-6

LA DOCTRINA DE CRISTO
Apóstol G. Maldonado
ISBN-10: 1-59272-019-6
ISBN-13: 978-1-59272-019-4

LA TOALLA DEL SERVICIO
Apóstol G. Maldonado
ISBN-10: 1-59272-100-1
ISBN-13: 978-1-59272-100-9

CÓMO VOLVER AL PRIMER AMOR
Apóstol G. Maldonado
ISBN-10: 1-59272-121-4
ISBN-13: 978-1-59272-121-4

NUESTRA VISIÓN

ERJ Publicaciones

*...expandiendo la palabra de Dios
a todos los confines de la tierra*

**EL PODER DE
ATAR Y DESATAR**
Guillermo y Ana Maldonado
ISBN-10: 1-59272-074-9
ISBN-13: 978-1-59272-074-3

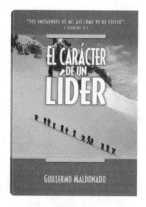

**EL CARÁCTER
DE UN LÍDER**
Apóstol G. Maldonado
ISBN-10: 1-59272-120-6
ISBN-13: 978-1-59272-120-7

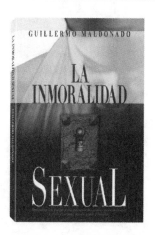

LA INMORALIDAD SEXUAL
Apóstol G. Maldonado
ISBN: 1-59272-145-1
ISBN-13: 978-1-59272-145-0

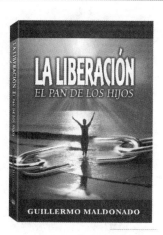

**LA LIBERACIÓN
EL PAN DE LOS HIJOS**
Apóstol G. Maldonado
ISBN10-: 1-59272-086-2
ISBN-13: 978-1-59272-086-6

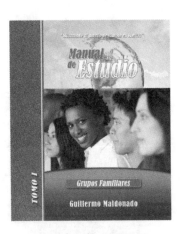

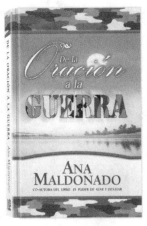

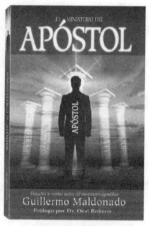
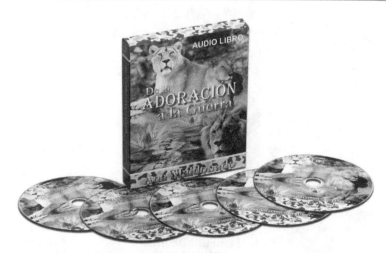